Oxien

Wyn sam... xw'r
llyfr bach hyn, nôl a
llawer o atgofion
melys iti o'n plentyndod
yn Garreg Hollt.

Hwyl iti da'd
darllen,

Bwdang X

MERCH
O'R CWM

Buddug Williams

Testun gan Lyn Ebenezer

DREF WEN

I Elwyn

© y testun Buddug Williams a Lyn Ebenezer 2008
© Dref Wen 2008

Cyhoeddwyd gan Wasg y Dref Wen,
28 Ffordd yr Eglwys, Yr Eglwys Newydd,
Caerdydd CF14 2EA
Ffôn 029 20617860.

Argraffwyd ym Mhrydain.

Mae'r cyhoeddwr yn cydnabod
cefnogaeth ariannol Cyngor Llyfrau Cymru.

'Ble wyt ti grwt? Dere ...' (saib) 'Beth yw dy enw di nawr?'

'Denzil, Buddug,' atebaf yn amyneddgar.

'O ie. Dere Denzil, rhaid i ni fynd â rhain draw i dŷ ...' (saib arall) 'beth yw ei enw fe nawr?'

'Derek, Buddug,' atebaf eto.

'O ie.'

Ac yna mae'r cyfarwyddwr yn gweiddi 'CUT!'

Dyw cofio enwau ddim yn gryfder amlwg yng nghyfansoddiad Buddug Williams, ond mae adnabod y person tu ôl i'r enw yn rhinwedd pwysig iddi, ac mae'n bur debyg fod Buddug, fel Anti Marian, yn gwybod ei hanes hefyd. Wrth deithio ar hyd yr M4 rhwng Cross Hands a Chaerdydd rydym ein dau yn trafod rhagoriaethau a gwendidau Pobol y Cwm a phobol ein cwm ni, yn ogystal â bachu ar y cyfle i fynd dros linellau'r diwrnod sydd o'n blaenau.

Yn wahanol i aelodau eraill cast Pobol y Cwm, efallai, rwy'n cofio Buddug fel athrawes cyn ei dyddiau yng Nghwmderi. Fe fu hi'n fy nysgu i am gyfnod byr yn ysgol Dre-fach, meddai hi, er na chofiaf i hynny'n iawn, ond rwy yn ei chofio hi'n dysgu gyda Mam yn ysgol Llanddarog. Rwy'n cofio'i gweld ar lwyfan Theatr y Grand hefyd, ac mewn cyngherddau lleol yn cyflwyno deialog gyda'r annwyl Ernest Evans. Does dim syndod iddi ailddechrau gweithio, wedi cyfnod o ymddeoliad, fel Buddug yr actores. Erbyn hyn, fodd bynnag, fel Buddug y ffrind yr ydw i'n meddwl amdani.

Er ein bod yn perthyn i ddwy genhedlaeth wahanol,

rydym yn cydweithio a sgwrsio'n rhyfedd o rwydd ac, am wn i, i Buddug mae'r diolch am hynny. Efallai fod ei thystysgrif geni yn bradychu ei gwir oedran ond mae ei hysbryd a'i brwdfrydedd yn perthyn i genhedlaeth tipyn yn iau. Y gwir plaen yw ei bod yn gwisgo'n fwy ffasiynol na lot o ferched llawer iau na hi, ei henw hi fydd yr enw cyntaf i lawr ar restr unrhyw barti ac mae hi'n fwy na bodlon i gymryd rhan mewn unrhyw dynnu coes. A sôn am fod yn ffasiynol, fuasai hi byth yn maddau i mi pe bawn i'n dweud wrth bawb yng Nghymru fod ganddi fwy o 'handbags' na'r un ferch arall yng Nghwmderi, felly wna' i ddim crybwyll y peth!

Nid gwamalrwydd yw'r cyfan, fodd bynnag, dim o bell ffordd. Mae hi'n fenyw o egwyddor, yn driw iawn i'w theulu a'i ffrindiau, ac yn ffyddlon i'w bro. Y ffyddlondeb a'r cyfeillgarwch hwnnw olygodd nad oedd gen i ddewis pan ddaeth cais i ysgrifennu pwt o ragarweiniad i'r gyfrol hon. Rydym wedi cael llawer o hwyl yn cydweithio ac fel y dywed un cyflwynydd radio, 'Buddug, mae hi wedi bod yn bleser ...'

Gwyn Elfyn

1.
Merch o'r Cwm

Rwy'n 76 mlwydd oed ac mewn iechyd rhyfeddol o dda, ac mae hynna'n beth od o feddwl fy mod i wedi marw. Ac o ystyried mai fi oedd y cymeriad cyntaf i farw yn *Pobol y Cwm* mae'n anodd meddwl 'mod i'n dal yno 33 mlynedd yn ddiweddarach. Y rheswm am hyn, wrth gwrs, yw i mi atgyfodi fel cymeriad arall flynyddoedd wedi i'r cymeriad gwreiddiol farw.

Wnes i ddim atgyfodi mor gloi â Lasarus, hwyrach, ac yn wahanol i Bobby Ewing yn *Dallas* ac i Dirty Den yn *EastEnders*, ddes i ddim yn ôl fel y cymeriad oeddwn i gynt. Ond rwy yma o hyd. A'r eironi yw hyn: er i mi farw, a finne'n fenyw ifanc, heddiw, fi yw'r actores hynaf yn y gyfres.

Merch o'r Cwm ydw i. Fel'ny rydw i'n diffinio fy hunan. Nid Cwmderi, cofiwch, ond Cwm Gwendraeth. Ac o gofio mai ar Gwm Gwendraeth y seiliwyd y gyfres deledu o ran lleoliad a ffordd o fyw, mae hynny'n ddigon priodol.

I gymhwyso hen ddywediad Saesneg, mae'n bosib tynnu'r ferch mas o'r Cwm, ond mae'n amhosib tynnu'r Cwm mas o'r ferch. Yn fy achos i, fe fu hi'n anodd hefyd tynnu'r ferch allan o'r Cwm. Fe fu'n rhaid i mi adael ddwywaith – y tro cyntaf er mwyn mynychu coleg y Barri, a'r eildro i wneud gwaith dysgu yn Birmingham, ond yn ôl y dois i bob tro. Yn ôl at fy ngwreiddiau. Yma yr ydw i, ac yma y bydda i. Mae pawb sy'n bwysig o fewn cyrraedd: Elwyn y gŵr, wrth gwrs, a Rhodri'r mab, sy'n byw jyst lan yr hewl; fy chwaer, sy'n byw fyny'r hewl y ffordd arall, a llawer iawn o ffrindiau a chymdogion da. Beth arall sydd ei angen ar neb, dywedwch?

Mae cysylltiadau bro a llinach a ffrindiau'n hollbwysig i mi. Dwi'n ymhyfrydu yn y ffaith fy mod i'n dal i fyw yn yr union dŷ lle'm ganwyd i yn 1932. Hwyrach fod y tŷ wedi newid llawer dros y blynyddoedd – mae e'n llawer mwy o faint erbyn hyn ac yn fwy modern – ond ar wahân i fynd yn hŷn, dw i ddim yn credu fy mod i wedi newid llawer. Ddim o ran fy nghymeriad, beth bynnag.

Pan mae pobol yn gofyn i mi ble ydw i'n byw, mae'n anodd ateb. Fe fu yna gryn ddadlau am leoliad y stryd lle dwi'n byw. A yw hi yng Nghefneithin neu yng Nghross Hands? Hir a brwd fu'r anghytuno, ond bellach, yn ôl y Post Brenhinol, rwy'n byw yng Nghefneithin. Rwy'n ddigon parod i dderbyn hynny, ond i arbed cymhlethdod, digon yw dweud fy mod i'n byw ym Mhen-y-graig yng Ngharreg Hollt, ac mae'r garreg a roddodd ei henw i'r fangre yn dal yno ar y sgwâr gerllaw. Mae hi'n sownd yn y ddaear, yr un mor sownd ag y mae fy ngwreiddiau innau yn naear ardal y Mynydd Mawr a'i lo caled. Ond, chwedl Dylan Thomas yn *Under Milk Wood*, gadewch i ni ddechrau yn y dechrau.

Bachan o Gross Hands oedd Dadi, ac fe gafodd ei godi gerllaw ble ydw i'n byw nawr, mewn tŷ o'r enw

10

Tabor Villa. Ef oedd yr ieuengaf o dri o blant. Bachgen a merch – Wncwl Defi ac Anti Magi – oedd y ddau arall, ac yna fe ddaeth Isaiah, sef Dadi, a chael ei adnabod gan bawb fel Siah.

Ganed e mewn cyfnod hynod drist. Pan oedd Mam-gu'n disgwyl Dadi, fe fu ei gŵr hi farw o niwmonia. Yn y dyddiau hynny roedd niwmonia yn farwol yn aml, ac felly y buodd hi yn achos Tad-cu. Doedd yna ddim brechiadau i atal y salwch, na fawr ddim meddyginiaeth i'w wella.

O oedran ifanc, felly, roedd 'da Mam-gu dri o blant i'w magu ar ei phen ei hunan. Yn y cyfnod hwnnw, roedd hi'n ddigon anodd cynnal teulu pan fyddai'r penteulu'n fyw ac yn iach ac mewn gwaith. Byddai llawer un yn yr un amgylchiadau wedi rhoi'r ffidil yn y to, ond roedd Jane Rees yn fenyw gref. Wnâi hi ddim ildio. Er nad oedd ganddi ŵr i ennill cyflog a chynnal y teulu, fe wrthododd hi'n lân â mynd ar y plwyf. Fel gwraig weddw, fe allai hi fod wedi gwneud hynny'n rhwydd, ond roedd gormod o falchder ganddi, neu gormod o ruddin efallai. Doedd pobol fel Mam-gu ddim yn credu mewn cardod. Mae 'na hen rigwm sy'n crynhoi teimladau Mam-gu, a llawer i un arall tebyg iddi, mae'n siŵr:

Nid cardod i ddyn ond gwaith,
Mae dyn yn rhy fawr i gardod,
Mae cardod yn magu nychdod,
A nychdod yn gadael craith.

11

Torchi ei llewys wnaeth Mam-gu. Aeth ati i chwilio am ffordd arall o gynnal y teulu a dechreuodd dderbyn golch. Fe fyddai ei phlant yn cerdded i Ysgol Llech-y-fedach dros Graig y Tymbl bob dydd – doedd dim bysys na cheir bryd hynny – ac fe fyddai un o'r plant, Anti Magi, yn gofyn i'r Mishtir a gâi hi fynd adre'n gynnar bob dydd Gwener i helpu ei mam i smwddo. Câi ganiatâd parod i wneud hynny – roedd y Mishtir yn deall y sefyllfa – ond petai hynny'n digwydd heddiw, fe gâi Mam-gu fynd i'r llys mae'n siŵr, ac mae'n debyg y câi'r prifathro'r sac am dorri deddf gwlad!

Roedd gan Mam-gu ddull arall o grafu ychydig geiniogau ynghyd. Roedd ei rhieni wedi gadael poni a thrap iddi – am ryw reswm, rwy'n gwybod mai Bessie oedd enw'r gaseg – ac fe fyddai Mam-gu'n mynd â Bessie a'r trap i farchnad Caerfyrddin bob dydd Mercher, siwrne o ddeuddeg milltir bob ffordd. Pe byddai'r cymdogion angen unrhyw nwyddau o'r farchnad, fe fyddai hi'n eu cludo yn y trap. Ar ddydd Iau wedyn, byddai'n mynd i farchnad Llanelli, naw milltir yno a naw milltir arall yn ôl wrth gwrs, ac unwaith eto fe fyddai'r cymdogion yn gofyn iddi ddod â hyn a'r llall iddyn nhw. Fe fyddai hi wedi gwneud hynny am ddim yn llawen, ond câi ychydig geiniogau yma a thraw am ei thrafferth ac roedd y rheiny'n sicr yn werth eu cael.

Aeth Wncwl Defi i weithio'n grwt ifanc deuddeg oed yn y gwaith glo yng Nghross Hands ac fe aeth Anti Magi i ddysgu crefft gwnïo. Ymhen amser, aeth Dadi hefyd i waith glo Cross Hands. Beth arall oedd i'w wneud? Ar y dechrau, fe oedd yn gofalu am y ponis tanddaear. Dadi oedd y *pit pony boy*. Sôn am ddechrau ar y gwaelod! Erbyn iddo gyrraedd pedair ar ddeg, roedd Mam-gu wedi penderfynu fod y gwaith yn rhy gorfforol galed i grwt mor ifanc. Roedd ganddi berthnasau yn Ynysowen, neu Merthyr Vale, ac fe gafodd wahoddiad gan y rheiny i fynd atynt yno. Mae'n rhaid fod y symudiad wedi bod yn un cadarnhaol, achos yno y gwnaeth y teulu ymgartrefu.

* * *

Yn ôl yr hyn ddeallaf i, roedd dau waith glo yn Ynysowen, ac yn 1925 roedd dros ddwy fil a hanner yn gweithio yno. Er i'r gwaith brinhau dros y blynyddoedd, fe fu'r safle ar agor tan 1989. Gwastraff a gloddiwyd o waith Ynysowen gwympodd ar ysgol Aberfan ar 21 Hydref 1966 gan ladd 144 o bobol, 116 ohonyn nhw'n blant. Tipio'r gwastraff uwchlaw Aberfan oedd un o brif ddyletswyddau Wncwl Defi yn Ynysowen, ac fe fyddai'r teulu'n gofidio'n fawr am ei ddiogelwch lan ar ben y tip.

Yn Ynysowen y cwrddodd Dadi â Mami. Merch o Abercannaid oedd hi, a'i henw oedd Cecilia, neu Ciss. Saesneg fyddai'r ddau yn siarad â'i gilydd, ac fe barhaodd yr arferiad wedi i ni'r plant gael ein geni, yn enwedig os nad oedden nhw am i ni eu deall nhw, gan ein bod ni, blant, bron yn uniaith Gymraeg. Mae hon yn

13

hen, hen stori, wrth gwrs, ac yn rhywbeth sy'n dal i ddigwydd yng Nghymru. Cymry Cymraeg yn troi iaith yr aelwyd yn Saesneg, gan ddefnyddio'r Gymraeg fel rhyw iaith ddieithr. Fe gollodd llawer o blant eu Cymraeg yn llwyr o'r herwydd, ond wnaethon ni ddim. Gallai'r ddau siarad Cymraeg, wrth gwrs, gyda Mami'n siarad Cymraeg tafodieithol ei bro ei hunan. Roedd hi'n dafodiaith bert hefyd, er nad oedd hi'n credu hynny.

Ar ôl geni'r ddau blentyn hynaf, dau fab, awgrymodd Dadi wrth Mami – yn Saesneg, mae'n siŵr! – y dylai'r teulu ddychwelyd i Gross Hands. Doedd Mami ddim yn fodlon iawn gyda'r syniad, ond yn ôl yr aethon nhw gyda'u meibion, Wyndham a Raymond.

Rhentu tŷ wnaethon nhw i ddechrau, tŷ o'r enw Tŷ Canol, dafliad carreg o'r tŷ ddaeth yn gartre parhaol iddyn nhw ymhen amser. Doedd gan Mami gynnig i'r lle, ond rwy'n amau nad y tŷ oedd y broblem mewn gwirionedd. Roedd hi'n ymwybodol mai menyw ddieithr oedd hi, a bod ei hiaith hi'n wahanol iawn i dafodiaith ardal y Mynydd Mawr. Dyheai am gael mynd oddi yno, yn ôl i'r Sowth, yn ôl i'w chynefin.

Er na chafodd hi erioed ddychwelyd i'w bro, fe gafodd hi symud tŷ cyn hir. Roedd Dadi wedi sylwi ar dŷ ar werth yng Ngors-las. Roedd yr adeilad ar ganol ei adeiladu ond fod y gwaith wedi dod i ben ar ôl i'r perchennog redeg mas o arian. Prynodd Dadi'r lle fel ag yr oedd e, a chwpla'r gwaith adeiladu ei hunan.

14

Wrth gwrs, gan fod y tŷ yn newydd, fe gawson nhw enwi'r lle ac rwy'n siŵr i Mami ddylanwadu ar hynny. Tudfyl House oedd ei chartref newydd hi, ac mae'r tŷ'n dal i sefyll – rwy'n ei basio bron bob dydd, ac er na wnes i rioed fyw yno, rwy'n meddwl am Mam a 'Nhad bob tro y bydda i'n mynd heibio.

Pan ddaeth Dadi'n ôl i Gwm Gwendraeth, fe gafodd e waith ar unwaith fel mecanic yng ngwaith glo Cross Hands. Roedd dau waith glo yn yr ardal hon bryd hynny, sef Cross Hands a Blaenhirwaun – tri, os ystyriwch chi'r Tymbl hefyd – ac roedd y gweithie glo nawr yn nwylo'r NCB, sef y Bwrdd Glo Cenedlaethol. Rhai preifat oedd y pyllau glo cyn hynny, ac achos o chwerthin ac o chwithdod i Dadi oedd ei fod e nawr yn gorfod gwisgo tei, a'i swydd e wedi newid ei theitl o mecanic i *unit engineer*. Enw crand a dillad crand ar gyfer yr un gwaith yn union.

Cafodd fy chwaer, Hilda, ei geni yn Tudfyl House yn 1925. Er bod Wyndham a Raymond wedi eu geni yn lled agos at ei gilydd, roedd bwlch o saith mlynedd rhwng Raymond a Hilda, ac wedyn fe fu yna fwlch o saith mlynedd arall cyn fy ngeni i. Yn rhyfedd, fe wnaeth dyfodiad y plant gyd-daro â'r troeon yr oedd Dadi a Mami'n symud tŷ!

Ym Mhen-y-graig y cefais i fy ngeni, ac yma rwy'n dymuno marw – ond ddim eto! Mae'r tŷ uwchlaw dibyn, ac o dan y dibyn mae afon Gwendraeth Fawr yn llifo. I'r tŷ hwn y symudodd y teulu o Tudfyl House. Mam-gu oedd yn berchen ar y tŷ erstalwm, ac roedd

Wncwl Defi, ei mab hynaf, wedi etifeddu'r tŷ pan fu Jane Rees farw a'i roi ar rent i'r teulu Morgan. Teulu mam Barry John oedd y rhain, a'r dynion yn goliers bob un. Yn blentyn, fe fyddwn i'n clywed peswch coliers yr ardal dros gloddiau'r gerddi wrth i mi gerdded heibio. Bryd hynny, wrth gwrs, doeddwn i ddim yn deall beth oedd achos y peswch, ond fe ddois i ddeall yn ddigon cloi.

Beth bynnag, cyn fy amser i, digwyddodd Wncwl Defi ddweud wrth Dadi un diwrnod fod y teulu Morgan yn gadael Pen-y-graig. ac fe gynigiodd e'r lle i Dadi am ugain punt. Efallai nad yw ugain punt yn swno'n llawer heddiw, ond bryd hynny roedd e'n arian mawr.

* * *

Fe soniais i eisoes y bu cryn ddadlau prun ai yng Nghross Hands neu yng Nghefneithin y mae fy nghartref yn sefyll. Pan oeddwn i'n ffilmio *Twin Town*, fe ddes i'n ôl o Abertawe mewn tacsi un noson gyda Ronnie Williams, a oedd yn actio gyda fi yn y ffilm (Ronnie a fi oedd yn chwarae rhannau Mr a Mrs Mort). Dyma'r gyrrwr tacsi yn gofyn i fi ble roeddwn i'n moyn mynd. Finne, yn naturiol, yn ateb, 'Cefneithin, os gwelwch yn dda,' ond dyma Ronnie'n gweiddi arna i:

'Na, 'dwyt ti ddim moyn mynd i Gefneithin! 'Smo ti'n byw yng Nghefneithin! Yn Cross Hands 'yt ti'n byw! Ti'n byw'r ochor 'ma i'r arwydd!'

Rhyw dynnu coes oedd e, wrth gwrs, ond roedd

16

Ronnie yn dipyn o frogarwr. Fe fûm inne'n dadlau'n ôl, 'Ie, yng Nghefneithin rwy'n byw! Fan honno ges i 'ngeni. Fan honno es i i'r ysgol. Fan honno rwy'n mynd i'r capel. Felly, yng Nghefneithin wy'n byw.'

Fe aeth hi'n drafod mawr rhyngon ni'n dau yng nghefen y tacsi, ond doedd dim modd ei berswadio fe! Iddo fe, yng Nghross Hands own i'n byw, ac ychydig wedi iddo farw, druan, dyma lythyr ffurfiol yn cyrraedd gan y Post Brenhinol yn fy hysbysu 'mod i bellach yn byw yn swyddogol yng Nghefneithin. Roedd y ffiniau wedi cael eu hadolygu ac roedden nhw'n cadarnhau fod ein tŷ ni'n cael ei ystyried fel cyfeiriad o fewn Cefneithin. Wn i ddim beth ddwedai Ronnie. Synnwn i ddim nad yw'r cythraul bach yn chwerthin lan fan'na yn rhywle! Yn y diwedd, roedd Ronnie a finne wedi cytuno i gyfaddawdu trwy ddweud 'mod i'n byw yn Garreg Hollt, ond mae'r Swyddfa Bost wedi deddfu bellach, a phwy ydw i i ddadlau 'da'r Swyddfa Bost?

Tybed a oedd Ronnie'n sylweddoli nad Cross Hands oedd yr enw gwreiddiol ar ei bentre fe chwaith? Cwm-y-glo oedd yr enw gwreiddiol, mae'n debyg, am mai dyna oedd enw'r dafarn ar y sgwâr, ond pan newidiwyd enw'r dafarn i Cross Hands, fe newidiodd enw'r pentre hefyd. Mae yna rai sy'n dweud mai yn nhafarn y Cross y byddai carcharorion yn gorfod aros i newid cerbydau ar eu ffordd i Garchar Abertawe ond wn i ddim a yw hynny'n wir.

Yn fuan ar ôl i'r teulu symud i Ben-y-graig, gadawodd

fy mrawd Raymond yr ysgol yn Llandeilo a mynd i Loughborough i fod yn brentis peirianyddol gyda chwmni trydan Bush. Os nad oeddech chi'n barod i fynd i'r gwaith glo, roedd hi'n anodd cael unrhyw waith arall yn lleol ac roedd Raymond yn un o lawer a orfodwyd i adael. Does gen i fawr o gof o Raymond gyda ni gartre gan iddo adael tra oeddwn i mor ifanc, ond roedd Wyndham yno; roedd e'n gweithio gyda Dadi yn y gwaith glo – ym Mlaenhirwaun erbyn hynny.

Fe ddechreuais i'r ysgol yma yng Nghefneithin. Mynd lan y tyle ac yna lan y tyle nesaf. Cerdded oedden ni, wrth gwrs, yn ôl ac ymlaen i'r ysgol. Doedd dim cinio ysgol bryd hynny ac felly fe fydden ni'n cerdded adre i ginio hefyd. Fe fydden ni'n mynd i'r ysgol yn griw o blant lleol: Maida Rees, Gwylfa Powell a'i frawd Derwyn, Cyril Skyrme, Petra Rees, Hazel Williams a Brenda Daniel.

Mae problem ffiniau wedi creu trafferthion mawr i fi ers dyddiau fy mhlentyndod. Cael a chael oedd hi mai i ysgol Cefneithin yr oeddwn i'n mynd. Mae'r ffin rhwng plwyfi Llannon a Llanarthne heb fod ymhell o'n tŷ ni. Yn wir, mae'r ffin rhwng dau blwyf yn torri'n union drwy'r Clwb Rygbi, neu'r Farmers gynt. ac roedd y plant oedd yn byw yr ochr arall i'r dafarn yn mynd i Ysgol Cross Hands.

Yn Ysgol Gynradd Cefneithin digwyddai popeth yn Gymraeg. Siaradai pawb yr iaith yn gwbwl naturiol ond roedd hi'n stori wahanol pan es i i'r ysgol uwchradd, sef Ysgol y Gwendraeth. Geography,

History, a French oedd y pynciau, nid Daearyddiaeth, Hanes a Ffrangeg. Yn union fel y canodd Dafydd Iwan, 'dim ond ambell i lesson yn Welsh, chwarae teg', er mai Cymraes fach oeddwn i! Dim ond un diwrnod y flwyddyn fyddai'n ddiwrnod Cymraeg, sef dydd Gŵyl Dewi. Pawb â'i genhinen, a'r merched yn eu sioliau a'u hetiau uchel.

Mae'r Gwendraeth yn dal i gael ei hystyried yn lleol fel ysgol braidd yn Seisnig ei chymeriad, ond gwir dweud fod pethau wedi newid yn yr ardal. Mae ysgol gyfun ddwyieithog gyda ni nawr ers tro, Ysgol Maes yr Yrfa. Ysgol ardderchog yw hi hefyd. Rwy'n falch o ddweud ei bod hi wedi cynhyrchu llawer o actorion da, gan gadw traddodiad y ddrama'n fyw yn y fro. Mae wynebau cyn-ddisgyblion Maes yr Yrfa'n frith ar sgrin S4C ac ar lwyfan, a'u lleisiau nhw i'w clywed ar y radio.

Cam arall ymlaen i'r Gymraeg yn yr ardal fu cynnal Eisteddfod Genedlaethol yr Urdd yng Nghwm Gwendraeth yn 1989. Fe fu'r Eisteddfod yn llwyddiant ysgubol a'r llwyddiant hwnnw, yn ei dro, arweiniodd at sefydlu Menter Cwm Gwendraeth ar ddechrau 1991. Mae gwaith da'n cael ei wneud nawr ar hybu'r iaith Gymraeg yn y gymuned, ac mae'r Fenter, ers 1998, yn rhan o Fentrau Iaith Myrddin.

Mae'n anodd credu heddiw bod angen y fath beth â Menter Iaith mewn ardal a oedd mor Gymreig. Pan own i'n blentyn, roedd y Gymraeg yn rhywbeth oedd yn cael ei gymryd yn gwbl ganiataol, ddim yn unig yn

19

yr ysgol gynradd a'r capel ond ym mhob agwedd o fywyd bob dydd. O ddyddiau plentyndod fe fydden ni'n mynd i gapel y Tabernacl – i gwrdd y bore, fel arfer, ac i'r ysgol Sul, wrth gwrs – ac rwy'n dal i fynd i'r capel. Yn anffodus, mae nifer yr aelodaeth wedi lleihau, fel ym mhobman arall, er bod gwasanaethau bore Sul, yn enwedig pan fo Cymundeb, yn reit gryf. Roedd y Gymraeg a mynychu'r capel yn mynd law yn llaw, a nawr mae'r ddau yn llacio'u gafael.

Fe fydden ni'n mynd i'r capel fel plant oherwydd dyletswydd yn hytrach na chael ein gorfodi i fynd yno. Mynd i'r Cwrdd Plant a'r Band of Hope bob nos Lun, ac i'r Gymanfa Ganu, wrth gwrs, a hynny yn draddodiadol ar ddydd Llun y Pasg. Wrth wrando ar y tenoriaid yn taro'r nodau uchel yn y gymanfa, rown i'n ffaelu credu sut oedd pobol â'u brest mor dynn yn gallu canu mor glir ac mor uchel. Rwy'n cofio dychmygu mai lle fel hynny fyddai'r nefoedd.

Fe fyddai'r Gymanfa, yn ei thro, yn mynd o fan i fan: y Tabernacl yma yng Nghefneithin, Capel Seion yn Dre-fach, Caersalem ym Mhontyberem, Capel y Sgwâr ym Mhen-y-groes – Annibynwyr i gyd, wrth gwrs. Roedd enwau'r arweinyddion yn adnabyddus i bawb, pobol fel Arthur Duggan, Idris Griffiths, Haydn Morris, Dan Jones, Ivor Owen, Ernest Evans a D J Davies.

Fe fyddai Dadi'n gweithio saith diwrnod yr wythnos, ond byddai'n dod adre mewn da bryd i fynd i'r cwrdd nos Sul yn ddi-ffael. Roedd e'n un o ymddiriedolwyr y capel. A bob dydd Sul fe fyddai Mami wedi gosod ei ddillad parch yn barod ar gyfer mynd i'r capel wedi iddo ddod adre o'r gwaith.

Gweithiai Dadi ar ddydd Nadolig, hyd yn oed, a gyda Dadi'n gweithio mor galed, dim ond un gwyliau rwy'n cofio i ni ei gael fel teulu erioed. Gan fod y brodyr wedi tyfu lan erbyn hynny, dim ond Dadi, Mami, Hilda a fi gafodd fynd am wythnos i lan y môr ym Mhorth-cawl, ac aros mewn B&B. Fe fues i'n sôn am hynny ar set *Pobol y Cwm* yn ddiweddar. Roedd un o'r cymeriadau'n dweud fod Hywel a Ffion yn mynd ar eu mis mêl i'r Maldives a finnau'n ateb mai dim ond i B&B ym Mhorth-cawl yr es i ar fy ngwyliau erioed. Ond roedd y gwyliau gawson ni'n blant ym Mhorth-cawl yn hyfryd. Fe fyddai'r gweithie glo'n caeëd lawr am wythnos bob blwyddyn, wythnos gyfan allan o olwg y tipiau glo. Fe fyddai'r coliers, yn naturiol, yn edrych ymlaen at gael wythnos o anadlu awyr iach ac yn mynd i lan y môr, llawer yn mynd ar eu gwyliau i Ddinbych-y-pysgod, Aberaeron, Aber-porth, y Mwmbwls ac Aberystwyth. Ac i Borth-cawl, wrth gwrs.

Sa i'n cofio pa bryd wnes i berfformio'n gyhoeddus am y tro cyntaf, ond rwy'n siŵr i mi wneud hynny tra own i'n blentyn. Yn y capel yr oedd hynny, mae'n debyg, wrth sefyll i ddweud adnod yng Nghwrdd y Plant o flaen y Parchedig Llewelyn Jones. Daeth y Parchedig Morley Lewis yn weinidog arnom ar ei ôl e, ac roedd e'n dad i Eifion ac Elfed. Roedd Elfed, y canwr gwerin a'r cymeriad mawr hwnnw, yn enwog drwy Gymru ond fe'i collwyd yn ifanc yn 1999. Roedd e'n byw a bod ymhlith pethau'r capel, ac yn ffoli ar rygbi, wrth gwrs. Carwyn James oedd un o'i arwyr mawr e, a does ryfedd gen i, gan fod Carwyn yn llwyddo i gyfuno crefydd a rygbi.

Mae yna stori enwog am Elfed wedi galw i weld Carwyn yng nghartre'r teulu yn Hewl yr Ysgol. Roedd mam Carwyn, Anne, wedi hen fynd i'w gwely pan glywodd hi sŵn yn y gegin yn oriau mân y bore. Lawr â hi, a dyna lle roedd Carwyn yn cysgu'n dawel yn ei gadair ac Elfed yn eistedd ar gadair gyferbyn ag e, yn edrych arno fe'n ddisgwylgar, yn gwbwl effro â'i lygaid yn llydan agored. Fedrai Anne ddim credu'r hyn oedd o'i blaen.

'Elfed bach,' medde hi, 'beth wyt ti'n neud fan hyn yr adeg yma o'r nos?'

'Wel, Mrs James, fe aeth Carwyn i gysgu a finne ar hanner siarad ag e, ac mae 'na gwestiwn pwysig ar ôl 'da fi i ofyn iddo fe, felly bydd rhaid i fi aros nes dihunith e. Pan gaf i'r ateb, fe af i gartre wedyn.'

Roedd Carwyn yn ffyddlon iawn i weithgareddau'r capel ac yn mynd i'r Cwrdd Gweddi a'r Band of Hope, fel bron pawb ohonon ni. Fe hefyd fu'n gyfrifol am sefydlu'r clwb ieuenctid lleol, ac roedd y clwb yn gyfle arall i mi berfformio. Carwyn fyddai'r arweinydd arnom ac fe fydden ni'n cwrdd yn yr ysgol.

Roedd digon o dalent yn lleol, ac fe fyddai'r talentau

hynny'n cynnal cyngherddau cyson o dan arweiniad Gwynne D Evans. Ychydig a wyddwn i ar y pryd, ond fe fyddai Gwynne yn dod i chwarae rhan bwysig yn fy mywyd i. Dau o brif sêr y sioeau lleol oedd dau golier o'r enw Sioni a Iori; nhw oedd Morecambe and Wise eu cyfnod a'u bro. Fe fydden nhw'n gwisgo mewn dillad clowns ac yn canu caneuon doniol, llawer ohonyn nhw'n ganeuon oedd yn delio â phynciau cyfoes oedd o bwys i'r ardal. Adeg y Rhyfel fe fydden nhw'n canu caneuon yn gwneud sbort am ben Hitler. Yma ar lwyfan Neuadd y Cross y dechreuodd y ddau, ond fe ddaethon nhw'n enwog ledled Cymru. Roedden nhw'n teithio llawer ar ôl y Rhyfel gyda Jac Oliver, y barbwr o Lambed a oedd yn cynnal cyngherddau, ac fe fyddai llawer o'r cyngherddau hynny'n cael eu trefnu'n bwrpasol i groesawu'r milwyr adre o'r fyddin.

Tad Ronnie Williams oedd Iori, a phan oedd Ronnie'n grwt, fe fydde fe'n teithio o gwmpas y fro gyda'i dad a Sioni. Roedd gan Ronnie lais arbennig iawn. Wnaeth e ddim perfformio llawer yn lleol ar ôl dyddiau plentyndod am ei fod e bant gymaint, ond gwyddai pawb o'r ardal hon fod dylanwad ei dad yn gryf arno.

Fel mab i golier, chafodd Ronnie ddim bywyd rhy freintiedig. Fe fu'n gweithio ar y bysys er mwyn ennill ychydig o arian i fynd i'r coleg ac yna fe fu'n brentis newyddiadurwr cyn mynd i Goleg y Castell yng Nghaerdydd i astudio Drama. Cafodd swydd fel cyhoeddwr gyda'r BBC yn 1964 a phan sefydlwyd y rhaglen ddychanol *Stiwdio B* roedd Ronnie'n un o'r cyflwynwyr gyda Gaynor Morgan Rees, Ieuan Rhys Williams, Stewart Jones a Mari Griffith.

Yn Eisteddfod Genedlaethol y Bala yn 1967, gwahoddwyd Ryan Davies i fod ar y rhaglen. Dyna pryd y canodd Ryan a Ronnie 'The Green Green Grass of Home' ar ffurf canu penillion gan godi'r to, a hynny arweiniodd at gyfresi *Ryan a Ronnie*.

Roedd tuedd gan rai pobol i gymryd Ronnie fel rhywun oedd yng nghysgod talent fawr Ryan, ond rwy'n credu i gyfraniad Ronnie i'r ddeuawd fod lawn mor bwysig ag un Ryan. Doedd fawr neb yn sylweddoli mai Ronnie oedd yn gyfrifol am y mwyafrif o'r sgriptiau. Ef, er enghraifft, oedd awdur y gyfres *Teulu Ni*, gyda Ryan yn chwarae rhan Mam, Ronnie yn Wil, Myfanwy Talog yn Phyllis Doris a Derek Boote fel Nigel Wyn. Mae'n anodd credu fod y pedwar wedi'n gadael ni. Ronnie oedd yn gyfrifol am y dywediad hwnnw a ddaeth yn enwog trwy Gymru, 'Paid â galw Wil ar dy dad!' Yn wir, daeth hwnnw'n ddywediad enwog yn Saesneg hefyd – 'Don't call Wil on your father!' – gan i Ryan a Ronnie ddod yn boblogaidd yn Saesneg pan wahoddwyd BBC Cymru i wneud rhaglen ar gyfer rhwydwaith Prydain gyfan. Llwyfannwyd y sioe ym mhencadlys y BBC yn Llundain ac fe gafodd eu perfformiadau gryn ganmoliaeth yn y wasg.

Wedi profi'r fath lwyddiant fel deuawd, penderfynodd Ryan ei bod hi'n bryd torri ei gŵys ei hun ac fe wnaeth Ronnie'r un fath. Roedd hi'n drasiedi

24

pan fu farw Ryan yn ifanc tra oedd ar ymweliad ag America, ond parhaodd Ronnie i actio gan ymddangos, ymhlith rhaglenni eraill, ar *Licyris Olsorts* fel Dan Bach y Blagard cyn iddo yntau farw mewn amgylchiadau trist iawn. Roedd gan Ronnie dalent enfawr, does dim dwywaith am hynny, ond i mi, yn fwy gwerthfawr o lawer na hynny oedd ei gefnogaeth a'i gyfeillgarwch personol. Roedd e'n ffrind annwyl iawn.

* * *

Roedd llwyfannu'r cyngherddau lleol yn rhywbeth i'r fro gyfan. Os nad oeddech chi yn y gynulleidfa, roeddech chi'n perfformio, ac os nad oeddech chi'n perfformio, fe fyddech chi yn y gynulleidfa.

Rwy'n cofio'n dda i fi a fy ffrind Orien Jones berfformio 'We're a Couple of Swells' pan oedden ni'n ferched ifanc. Hwn, am wn i, oedd y tro cynta i fi berfformio'n gyhoeddus y tu allan i'r capel. Fe drefnon ni'r gwisgoedd priodol ac fe wnaethon ni sioe ddigon da ohoni. Roedd Jack, tad Orien, yn cadw'r dafarn leol fan hyn, y Farmers (lle mae'r Clwb Rygbi erbyn hyn), ac ar ôl y cyngerdd fe aeth Sioni a Iori draw yno am beint.

Fyddwn i ddim yn mynd i'r bar, wrth gwrs, er bod Orien yn byw yno. Fyddai menywod ddim yn mentro i'r bar o gwbwl. Fe fyddai rhai, efallai, yn mynd i'r lolfa neu i'r stafell gefn, ond ddim i'r bar. Beth bynnag, mae'n debyg i Jack ofyn i Sioni a Iori sut aeth y gyngerdd y noson honno, a dyma nhw'n ateb, 'Cyngerdd dda iawn, ond nid ni oedd y sêr heno, Jack. O na, dy ferch di a Buddug Pen-y-graig oedd y sêr heno.' Jiw, dyna falch oedd Orien a minnau pan glywson ni hynny!

Byddai 'Nhad yn galw yn y Farmers ambell noson. Wnâi e byth fynd i'r bar, dim ond cnocio ar y ffenest fach rhwng y pasej a'r bar ac o weld Dadi yno, fe fyddai Jack yn gwybod i'r dim beth oedd ei ddiod.

'Yr un peth ag arfer, Siah?'

'Ie, dere â photel fach o Felinfôl.'

Ac fe fyddai Jack yn troi a phlygu i afael mewn potel o gwrw Felinfôl, ei hagor hi a'i hestyn i Dadi gyda gwydr gwag. Fe fyddai ffrindiau Dadi yn y bar yn ceisio'i gymell e i ddod i mewn i ymuno â nhw. 'Dere miwn, Siah. Dere miwn am un bach arall, achan!' Ond gwrthod wnâi e bob tro. Fe fydde fe'n aros yn y pasej yn ddigon hir i yfed ei botel ac yna'n dod am adre.

I'r rhan fwyaf o'r glowyr, rhywbeth i glirio'r llwch o'r gwddf fyddai cwrw. Fe fydden nhw'n cerdded adre o waith Cross Hands ac yn galw i mewn yn y Farmers ar eu ffordd tua thre. Roedd y peint cynta'n diflannu heb dwtshyd â'r ochrau – cyn iddyn nhw ishte i lawr, bron iawn – er mwyn clirio'r gwddf, ond cwrw i'w fwynhau fyddai'r ail beint wedyn. Roedd hi'n werth cymryd amser dros hwnnw. Fe fyddai rhai – y bois sengl yn arbennig – yn aros ymlaen am un neu ddau arall, ond fe fyddai'r glowyr oedd â theulu yn troi am adre ar ôl torri eu syched. Fe fyddai bwyd ar y bwrdd, ac roedd disgwyl iddyn nhw fod yno'n brydlon i'w fwyta.

O ran dyddiau fy ieuenctid i, roedd popeth yn y fro yn troi o gwmpas y ddau waith glo, y capel a'r neuadd, y Farmers Arms a'r Cross, a'r ddau glwb, sef y Legion a Chlwb y Gweithwyr yng Nghross Hands. Glo oedd yn cynnal y boblogaeth, y capel oedd yn cyflenwi'r anghenion ysbrydol, a'r dafarn, y clybiau a'r neuadd oedd yn cyflenwi'r anghenion mwy bydol. A'r glo gorau, glo caled, oedd y glo a gloddiwyd yma. Mae yna hen ddywediad fod pobol y fro a'r glo'n debyg iawn. Roedd y glo'n anodd ac yn araf i danio – neu i gitsho – ond wedi iddo gitsho fe fydde fe'n para, ac fe fyddai'r gwres roedd e'n ei daflu'n un arbennig o dwym. O ran y bobol wedyn, fe gymerai amser i rywun o'r tu allan gael ei dderbyn ganddynt, ond o gael ei dderbyn byddai'r cyfeillgarwch yn un gwresog, ac yn un a fyddai'n para oes.

Nid rhywbeth i'w losgi'n unig oedd y glo. Fe fyddai ambell grefftwr, Wyndham fy mrawd hynaf yn eu plith, yn ei addasu ar gyfer addurniadau. Fe fydden nhw'n cerfio darnau o bren, yn glynu talpie o lo arnyn nhw a gosod clociau neu thermomedrau arnyn nhw. Fe fydden nhw wedyn yn rhoi'r addurniadau hyn yn anrhegion i'w ffrindiau. Roedd Wyndham hefyd yn grefftwr gwaith haearn gyr, roedd crefftwaith fel hyn yn rhywbeth i'w wneud gyda'r nos.

Wrth gwrs, Cymraeg oedd iaith naturiol y pentre

bron yn ddieithriad bryd hynny, ond er bod yr ardal yn llawer Cymreiciach nag oedd Ynysowen, dal i siarad Saesneg wnâi Dadi a Mami â'i gilydd ar yr aelwyd. Roedd Mami'n ymwybodol o'i hunan a theimlai mai Cymraeg lletchwith oedd ganddi. Roedd hi'n rhy swil i geisio siarad mewn tafodiaith wahanol ond ofnai fod pobol yn chwerthin ar ben ei thafodiaith hi. Y gwir yw mai dim ond hi oedd yn credu hynny, a chlywais i erioed neb yn chwerthin ar ben ei thafodiaith. Yn wir, i'm tyb i, roedd ganddi acen a thafodiaith bert iawn. 'Dere mlên at y tên' – felly fyddai hi'n siarad ar yr adegau prin pan wnâi hi siarad Cymraeg. Roedd hi mor ymwybodol o'i thafodiaith wahanol nes iddi rybuddio 'Nhad i beidio byth â mynd â hi'n bellach na thop y tyle pan fydden nhw'n mynd am dro, sef y Tyle Coch sy'n codi o flaen tŷ ni. *Because*, medde hi, *they don't like foreigners*. Druan â hi, roedd hi'n teimlo fel menyw ddieithr, ond falle y byddai hi'n teimlo'n fwy cysurus yma erbyn heddiw.

Pan own i'n ifanc, rown i'n nabod pawb o fewn y filltir sgwâr, o ben y tyle fan hyn yr holl ffordd draw at yr ysgol. Heddiw dwi ddim yn nabod hanner y bobol sy'n byw yn y rhan yma o'r pentre, ac mae'r pentre fel petai e'n ymestyn bob dydd, gyda thai mawr, crand yn codi ym mhobman. Mae dyfodiad yr M4 wedi'i gwneud hi'n hawdd i bobol deithio i Abertawe a Chaerdydd i'w gwaith bob dydd. Mae Cefneithin bellach yn denu cymudwyr, a'r mwyafrif o'r rheiny'n bobol ddieithr, di-wreiddiau, sydd prin yn cyfarch ei gilydd.

Arferai fod yn wahanol iawn. Roedd y syniad o gymuned yn gryf yma, a fyddai drysau neb byth ar glo. Cnoc ysgafn ar y drws a cherdded i mewn gan weiddi, 'Helô! Fi sy 'ma!' A'r drysau'n llydan agored ar ddiwrnodau braf. Doedd neb yn ofni dim ac roedd croeso i bawb.

Glanweithdra wedyn, roedd glanweithdra bron yn grefydd. Roedd yn rhaid, er enghraifft, cael stepen y drws yn lân, mor lân fel y medrech chi fwyta'ch bwyd oddi arni. Golygfa gyffredin fyddai gweld y menywod ar eu pennau gliniau'n sgwrio, ac yn cyfarch unrhyw un fyddai'n pasio. Roedd hi bron iawn yn gystadleuaeth pwy fyddai â'r stepen drws lanaf. Yn y cylch hwn, yn wahanol i rai o gymunedau cymoedd y de, dim ond un stryd gwerth sôn amdani oedd yn bodoli, ac yn honno fe fyddai'r menywod yn tueddu i fod allan ar yr un pryd, yn cael sgwrs fach wrth sgwrio'r trothwy.

Mae 'na rai sy'n dal i gadw'r traddodiad hwnnw'n fyw, ac mae'n bwysig deall nad rhyw arferiad arwynebol oedd hwn. Yn wir, roedd popeth yn gorfod bod yn lân. Nid y pethe allanol yn unig oedd yn lân ac yn dwt. Byddai tai'r glowyr yn balasau bach o lendid a chlydwch y tu mewn. Dydd Llun fyddai'r diwrnod golchi traddodiadol, a byddai'r golch ar y lein yng nghefn y tai teras yn wynnach na gwyn. Fedrwn i ddim peidio â chymharu gwynder y golch â budreddi'r gweithie glo.

Fel plentyn ieuengaf y teulu, doedd dim rhaid i mi wneud fawr ddim dyletswyddau yn y cartre. Hilda, fy chwaer, oedd yn helpu Mami gyda'r gwaith o gadw tŷ tra byddwn i allan yn chwarae, yn y parc wrth gefn y tŷ gan amlaf. Allan yn yr awyr iach yr oeddwn i'n hoffi bod, a byddai'n rhaid i Hilda ddod i chwilio amdana i pan oedd hi'n amser swper neu pan fyddai'n dechrau nosi.

Byddai'r glowyr yn cadw'r gerddi'n dwt ac yn tyfu llysiau a blodau. Allan yn y gerddi hefyd roedden nhw'n gallu anadlu'r awyr iach ar ôl bod lawr yng nghaethiwed llychlyd y gweithie. Roedd gyda ni ardd dda, ond doedd hi ddim byd tebyg i ardd teulu mam Barry John o'n blaenau ni, cofiwch. Roedd pob modfedd o'r ardd yn cael ei defnyddio ganddyn nhw. Roedden nhw'n deulu mawr o tua saith o blant, ac roedden nhw, fel llawer i deulu arall yn yr ardal, yn dibynnu ar gynnyrch yr ardd i'w bwydo.

Roedd Dadi'n arddwr da, yn tyfu tato, bresych, moron, cidnebîns, letys, pannas – popeth. Roedd llwyni gwsberis yn tyfu yno hefyd, a phob mathau o ffrwythau eraill megis cyrens duon, eirin a cheirios. Rwy'n cofio y byddai disgwyl i mi helpu, o oedran ifanc iawn, gyda chasglu a photelu'r ffrwythau. Rwy'n cofio hefyd i Mami fynd ati i wneud cyffaith ceirios unwaith. Roedd hi wedi llenwi nifer o botiau tebyg i botiau jam, a'r caeadau wedi'u cau'n dynn, ac wedi'u rhoi i gadw ar silff uchaf y pantri. Un diwrnod fe es i mewn i'r pantri a dweud wrth Mami fod y lle'n gwynto fel tafarn. Fe allwn i dyngu fod cwrw yno! Erbyn chwilio, roedd y jariau wedi ffrwydro, a'r cyffaith ceirios wedi tasgu i bob man.

Fe fyddai rhai o'r glowyr yn cadw ieir ac ambell un yn cadw mochyn. Rwy'n ein cofio ni'n cadw ieir am sbel, ond fe laddodd y llwynog nhw i gyd, ac fe ddantodd Dadi a rhoi'r gorau iddi wedyn. Fe fuodd gyda ni fochyn unwaith hefyd, adeg y Rhyfel. Snowy oedd ei enw fe. Pan ddaeth hi'n amser i'w ladd e, fe ddaeth y bwtsiwr, Trefor Samuel, draw i wneud y gwaith. Rwy'n cofio fod Mami'n drist iawn y diwrnod hwnnw. Roedd hi'n hoff iawn o Snowy, a byddai'n mynd allan i'w gyfarch e ac i grafu ei gefen e bob dydd. Y diwrnod hwnnw, rhybuddiodd Mami Hilda a fi i gau pob drws a ffenest ac i droi'r radio lan i'r top fel na wnâi hi glywed sgrechian y mochyn. Rwy'n cofio canu ar dop fy llais i geisio difyrru Mami, a'r dagrau yn ei llygaid hithau. Druan â hi, ond y gwir yw i Snowy ein cadw ni mewn cig am sbel fach. Roedd y cyfan yn help i gynnal y teulu.

O fewn cylch o chwarter milltir i'n tŷ ni roedd popeth oedd ei angen. Roedd yma siop fferyllydd, siop yn gwerthu mân bethe, hyd yn oed setiau teledu pan ddaeth y rheiny'n ffasiynol, Siop Davies wedyn, lle roedd Bessie'n gweithio y tu ôl i'r cownter. Siop groser oedd honno, ac yno y bydden ni'n prynu losin, a gorfod cyfnewid cwpons amdanyn nhw adeg y Rhyfel. Yr ochor arall roedd syrjeri'r doctor. Roedd yno fanc hefyd, ac yna siop grydd. Lawr yr hewl ger tŷ ni roedd crydd arall, a'i wraig e'n gwerthu cynnyrch Cymreig fel carthenni, ar y gornel roedd Siop Jones yn gwerthu papurau a losin. Roedd y cyfan yna o fewn sgwaryn bach ger ein tŷ ni. Ac wrth gwrs, roedd y dafarn. Wedyn, yn union ar draws yr hewl i'r neuadd roedd siop ffish a tships Sid Daniels. Roedd honno'n enwog drwy'r sir a thu hwnt, ac ar nos Sadwrn fe fyddai'r lle'n orlawn, gyda chiw anferth y tu fas wrth i bobol ar dripiau alw yno ar eu ffordd gartre. Fe fyddai'r bysys yn parcio tu fas ac i ni, bobol leol, fe fyddai hynny'n niwsens. Ond roedd Sid yn nabod ei gwsmeriaid arferol ac yn ein gwasanaethu ni o flaen y fisitors.

Gan fod popeth wrth law, roeddwn i'n cael mynd ar neges i Mami o oedran cynnar iawn. Mae gen i atgofion o geisio cofio'i rhestr siopa wrth sgipio i fyny ac i lawr llwybr yr ardd cyn mynd i'r siop, a Mami a Hilda'n chwerthin wrth fy ngwylio wrthi. Roedd mynd i'r siop yn golygu y cawn fod allan wrth gwrs, ac felly roeddwn i'n barod iawn i wirfoddoli i wneud hynny, ond os oedd angen mynd i rywle ychydig ymhellach na'r siopau cyfagos, Hilda fyddai'n gorfod gwneud hynny.

* * *

Atyniadau syml oedd yn denu'r bobol – cyngerdd, drama, opera ac eisteddfod, a'r cyfan o'r gweithgareddau hynny yn troi o gwmpas y capel a'r neuadd. Roedd ganddon ni neuadd arbennig ar gyfer perfformio – neuadd y talodd y glowyr amdani fesul chwech cheiniog yr wythnos – gyda llyfrgell ynddi a nenfwd alabaster hardd. Fe fyddai adeiladau tebyg ar hyd a lled cymoedd diwydiannol Gwendraeth a Thawe ar un adeg, ond mae'r rhan fwyaf yn wag ac yn dadfeilio erbyn hyn, neu wedi cael eu dymchwel yn llwyr.

Neuaddau Llesiant oedd y mwyafrif o'r rhain, fel yn y Tymbl, Rhydaman, Brynaman a Gwauncaegurwen. Neuadd Goffa oedd ym Mhontyberem a Neuadd y Glowyr ym Mrynaman, ond Neuadd y Cross oedd yr unig neuadd gyhoeddus yn yr ardal.

I bobol o'm cenhedlaeth i, byddai'n deg dweud mai Carwyn James, drwy'r clwb ieuenctid, roddodd gychwyn ar bethau. Carwyn gyneuodd y tân. Roedd e ychydig yn hŷn na fi, ac roeddwn i'n ei edmygu o'r dechrau cynta. Yn ogystal â rhoi cychwyn i'r clwb, roedd e'n arwr rygbi wrth gwrs. Doedd neb o'n teulu ni'n chwarae'r gêm yn rhyw ddifrifol iawn, ond roedd Dadi'n gefnogwr brwd o'r Sgarlets. Yn ddiweddarach, fe fydde Dadi ac Elwyn yn mynd gyda'i gilydd i'w gwylio bob Sadwrn. Roedd teulu Barry John, oedd yn byw yma ym Mhen-y-graig o'n blaen ni, yn chwaraewyr rygbi brwd, ond roedd dwst y gwaith glo wedi effeithio ar eu hanadl. Pan enillodd Barry John ei gap cynta, cafwyd cyngerdd mawr yn yr ysgol, ac fe gafodd D Ken Jones dderbyniad tebyg yn Neuadd y Cross pan enillodd yntau ei gap cynta.

Teg dweud fod rygbi'n grefydd yn yr ardal hon. Mae Ysgol y Gwendraeth, lle'r aeth Carwyn a Barry, D Ken

Jones a Gareth Davies a Jonathan Davies wedi cael ei disgrifio fel Ffatri Maswrs.

Cyn belled ag y mae Clwb y Cefen yn y cwestiwn, rwy'n cofio tŷ Doctor Griffiths yn cael ei brynu a'i droi'n glwb rygbi, ond yn ddiweddarach fe symudon nhw i'r Farmers, reit y tu ôl i'n tŷ ni, ac yn y fan honno mae'r Clwb Rygbi o hyd. Pan fyddai Carwyn yn mynd yn ôl a mlaen i'r clwb, fe fydde fe'n pasio cefn tŷ ni a buan y daeth e'n ffrindiau agos â'r teulu. Fe fydde fe'n pasio wrth fynd i chwarae tennis hefyd, ac roedd e'n chwaraewr socer da pan oedd e'n grwt. Yn wir, fe gychwynnodd e glwb pêl-droed gyda chyfaill pan oedden nhw yn yr ysgol.

Roedd e'n ffrindiau mawr ag Elwyn (fy ngŵr) hefyd, drwy fod y ddau yn chwarae criced i Grwydriaid Caerfyrddin, neu'r Carmarthen Wanderers. Wn i ddim shwd oedd e Carwyn mor ffit ac yntau'n smoco gymaint. Roedd sigarét wastod rhwng ei fysedd. Roedd e'n smoco tua hanner cant o ffags y dydd, medden nhw. Fe roddodd e gynnig ar roi stop ar ei smoco, ac yn lle smoco, fe aeth e ati i fwyta siocled. Ei hoff siocled e oedd Five Boys, ac fe fydde fe wedi bwyta llwyth ohonyn nhw cyn cinio, ond yn ôl at y smoco fydde fe'n mynd bob tro. Fe ddisgrifiodd rhywun frecwast Carwyn unwaith fel 'ffag, cwpaned o goffi du a phwl o beswch'.

Fe fydde fe'n galw yma'n aml. Cyn iddo fe a'i chwaer gael ffôn yn y tŷ, i'r fan hyn y bydde fe'n dod i ffonio. Roedden nhw'n byw yn Rose Villa, rhif 2

Heol yr Ysgol, reit wrth ymyl y cae rygbi. Roedd e'n sôn yn aml amdano'i hun pan oedd e'n grwt bach, yn ennill pisyn tair bob tro fydde gêm gartref, am nôl y bêl o'r gerddi cyfagos os câi hi ei thaflu neu ei chicio yno dros y clawdd. Fe fydde fe hefyd yn cwato yn y llwyni yn gwylio'i arwyr mawr, chwaraewyr fel Iestyn James a Haydn Jones, neu Haydn Top y Tyle fel y bydden ni'n ei alw e. A dyna beth rhyfedd yw olyniaeth, gan fod Barry John yn gwneud yr union beth wrth wylio'i arwr mawr ef, Carwyn James.

Fe fydde fe'n mynychu'r capel er pan oedd e'n grwt, a phan oedd e'n hŷn fe fydde fe'n mynd i wrando ar bregethwyr mawr fel Jubilee Young a Lewis Tymbl. Unwaith, pan oedd e tuag wyth oed, fe aeth i chwarae rygbi yn y parc ond doedd dim sôn amdano fe'n cyrraedd adre a dechreuwyd gofidio ei fod e ar goll neu wedi cael damwain. Fe fu chwilio mawr amdano, gallwch fentro, ond fe gyrhaeddodd yn y diwedd. Roedd Carwyn wedi penderfynu mynd i'r cwrdd gweddi ar ei ffordd adre ar ôl ymarfer rygbi.

Fe ddaeth e'n flaenor gyda ni yn y Tabernacl, ond doedd ei wyleidd-dra ddim yn caniatáu iddo deimlo'n gyffordddus yn y sêt fawr. Fe'i dewiswyd yn flaenor pan oedd e'n ddim ond 24 mlwydd oed. Rwy'n cofio mai fe fyddai'r olaf i fynd i mewn i'r capel i'r gwasanaeth bob tro. Roedd e'n cyrraedd yn ddigon cynnar, ond bydde fe'n sgwrsio â hwn a hwn neu hon a hon, ac yn smoco ar y pafin tan y funud olaf. Yna fe fydde fe'n diffodd ei ffag ac yn sleifio i mewn yn dawel i un o'r seddi cefn.

Roedd yn well gydag e fod ynghanol y gynulleidfa. Un fel'ny oedd e. Bachan tawel. Dyn y bobol.

Fe hefyd oedd ysgrifennydd gohebol y capel, ond ar hyd y blynyddoedd y buodd yn y swydd, wnaeth e rioed godi unrhyw dreuliau. Mae hanes amdano fe, pan oedd e mas gyda'r Llewod yn Seland Newydd yn 1971, yn ffonio'r gweinidog, y Parch. Morley Lewis. Roedd e am ymddiheuro, a Morley'n ffaelu deall pam. Erbyn deall, roedd Carwyn wedi anghofio trefnu pregethwr ar gyfer y dydd Sul ac roedd hynny'n chwarae ar ei feddwl e! Synnwn i ddim nad oedd e wedi poeni mwy am y capel nag am y Llewod tra oedd e mas yno!

Fel llawer i athrylith, doedd cof Carwyn ddim yn arbennig o dda. Weithiau, yn hytrach nag anghofio trefnu pregethwr ar gyfer galwad, fe fydde fe'n trefnu i ddau ddod ar yr un dydd Sul, ac fe fydde'r un peth yn digwydd iddo fe'i hunan yn aml. Droeon fe addawodd fynd i annerch i ddau le gwahanol ar yr un noson. Bryd arall fe fydde fe'n ffonio'i chwaer neu gyfaill o bellter byd i ofyn ble roedd e i fod yn annerch y noson honno. Welwyd erioed neb mwy di-drefn, ond nid diffyg trefn bwriadol oedd e. Roedd hynny'n rhan o'i gymeriad ac roedd rhyw anwyldeb ym mhopeth a wnâi Carwyn. Rwy'n cofio un tro iddo fe yrru ei gar am fisoedd heb gêr ôl, ac fe fydde'r sedd ôl a'r sedd gyferbyn ag ef yn y car fel tip: llythyron – llawer ohonyn nhw heb eu hagor – ym mhobman, ffurflenni, taflenni, cytundebau BBC, sieciau heb eu newid. Roedd y cyfan yno yn y car! A doedd e ddim yn beth dieithr ei weld e'n gyrru i'r capel ar ddydd Sul gan siafio'r un pryd!

Roedd Carwyn yn gysgwr mawr hefyd. Mae 'na ddywediad am rywun a allai gysgu ar lein ddillad ac un felly oedd Carwyn. Doedd dim yn well ganddo na chael rhywun i'w yrru fe i'w wahanol alwadau. O gael gyrrwr, fe fyddai Carwyn wedyn yn syrthio i gysgu wrth ei ymyl. Bob tro fydde fe ac Elwyn yn mynd i chwarae criced, Elwyn fyddai'n gyrru. Wyddai Carwyn ddim byd o gwbwl am fecanics car. Y cwbwl oedd car yn ei olygu i Carwyn oedd rhywbeth i fynd ag e o fan'na i fan'co. Yn anffodus, roedd Carwyn yn dioddef o hen glefyd poenus ar ei groen, ac fe fyddai hynny'n ei gadw fe ar ddihun gyda'r nos. Dim rhyfedd felly ei fod e'n ceisio dal fyny â'i gysgu yn ystod y dydd.

Dim rhyfedd chwaith bod Carwyn wedi dod yn gymaint o arwr. Roedd e'n enghraifft o ddyn cyffredin a lwyddodd. Pan gyhoeddwyd cofiant iddo fe wedi iddo farw, fe roddwyd y teitl perffaith i'r gyfrol, *Carwyn, Un o 'Fois y Pentre'*. Dyna beth oedd e – er iddo grwydro'r byd a gwneud enw iddo'i hun, un ohonon ni oedd e hyd y diwedd. Meddyliwch am fab i löwr cyffredin yn hyfforddi'r Llewod i ennill yn erbyn Seland Newydd yn 1971, a'r flwyddyn wedyn yn arwain y Sgarlets i fuddugoliaeth drostyn nhw eto. Pan ddaeth e 'nôl ar ôl y daith fuddugol yn erbyn Seland Newydd fe gafodd ei gario drwy'r pentre mewn cart a cheffyl. Roedd e'n union fel brenin yn cael ei goroni, ac i ni, brenin oedd e.

Mae'n warth meddwl na chafodd e fod yn hyfforddwr dros ei wlad, ac mae pobol sy'n deall llawer mwy na fi am rygbi'n dweud yr un peth. Pan fuodd e farw'n unig yn Amsterdam yn 1983, roedd e'n ddiwrnod du iawn yng Nghymru, yn enwedig yma yn y Cefen. Roedd e wedi trefnu gwyliau ar fyrder. Wedi gadael pethe hyd y funud olaf, fel arfer. I'r Ynysoedd Dedwydd – y Canary Islands – yr oedd e wedi bwriadu mynd, ond fe fethodd y trefnwyr gwyliau â chael lle iddo fe ac fe ddewisodd fynd i Amsterdam. Roedd e wedi ceisio ffeindio ffrind neu ddau i fynd gydag ef ond oherwydd y rhybudd byr, doedd neb ar gael i fynd yn gwmni iddo. Trawiad ar y galon gafodd e, mae'n debyg. Roedd hynny'n sioc fawr i bawb wrth gwrs, ond i bobol y pentre, roedd e fel colli mab.

Angladd preifat gafodd e. Dim ond un dorch o flodau gwyn ar ffurf croes, a dim ond teulu a ffrindiau agos oedd yno, ond roedd pedwar o fois y Sgarlets ymhlith y rhai oedd yn cario'i arch – Derek Quinnell, Delme Thomas, Norman Gale a Ray Gravell. Y Parchedig Emrys Williams, y Tabernacl, oedd yng ngofal y gwasanaeth angladdol. Yn ddiweddarach fe gynhaliwyd cyfarfod coffa iddo yn y Tabernacl; roedd y lle yn orlawn, â pobol allan ar y stryd hyd yn oed. Gwynfor Evans oedd y prif siaradwr. Roedd yr Archdderwydd yno hefyd, ynghyd ag Elfed Lewis a'i frawd, Eifion. Roedd pobol fel Onllwyn Brace yno yn ogystal, a Handel Greville o Glwb Llanelli.

Yng nghanol y tristwch yn y cyfarfod coffa fe fuodd

yna ddigwyddiad doniol iawn hefyd. Fe fyddai Carwyn wrth ei fodd â'r stori. Oherwydd bod y lle'n orlawn, roedd yna newyddiadurwr enwog o'r *Guardian* y tu fas – rwy'n credu mai David Foot oedd e – wedi methu cael lle yn y capel. Fe aeth e at un o'r bobol oedd yng ngofal y trefniadau gan esbonio ei bod hi'n bwysig iddo fe gael mynd i mewn am ei fod e'n ysgrifennu'r hanes i'r *Guardian*. Dyma'r trefnydd yn arwain y bachan dieithr hyn i ben blaen y capel, bron iawn i'r sêt fawr, ac yn ceisio gwneud lle i'r gohebydd.

'Gwthiwch lan, bois,' medde fe wrth y rhai oedd yn eistedd yno, 'ma'r bachan 'ma o'r *South Wales Guardian* isie lle.'

Y *South Wales Guardian* oedd y papur wythnosol lleol oedd yn cael ei gyhoeddi yn Rhydaman!

A meddwl fod Carwyn wedi gwneud cymaint dros blant a phobol ifanc y fro, peth addas iawn er coffa amdano oedd agor Cornel Carwyn yn y parc ym mis Ebrill 1989 fel man chwarae i blant. Fe luniwyd gât arbennig gyda symbolau yn adlewyrchu diddordebau Carwyn: llenyddiaeth, cenedl a rygbi. Fe agorwyd y Gornel gan un arall o arwyr y fro, y bocsiwr Robert Dickie.

Fe allai Carwyn fod wedi bod yn rhan o fyd y ddrama. Gwynne D Evans oedd un o'i athrawon yn yr ysgol gynradd ac roedd gan Carwyn feddwl y byd o 'Gwynne Siop' am ei fod e'n ysgrifennu dramâu. Yn wir, adeg gwyliau o'r coleg fe fyddai Carwyn yn gweithio y tu ôl i gownter y post a'r siop. Mae'n debyg iddo fe, pan oedd yn ddisgybl i Gwynne, ysgrifennu drama ar ramant Llyn y Fan, ac yn ôl Gwynne, roedd e'n dangos addewid fel dramodydd. Fe gafodd e wahoddiad i chwarae rhan yn *The Bartered Bride* ond gwrthod wnaeth e. Doedd e ddim yn fachan cyhoeddus, ond fe fydde fe'n mynd gyda'i fam i weld y gwahanol berfformiadau yn Neuadd y Cross.

Er nad oedd e'n hoff o berfformio'n gyhoeddus, fe wnaeth e lawer ym myd y ddrama. Pan aeth Carwyn i fod yn athro Cymraeg yng Ngholeg Llanymddyfri fe fu'n gyfrifol am lwyfannu nifer o ddramâu ar gyfer Aelwyd yr Urdd yn y coleg, yn cynnwys *Y Ddraenen Fach* gan Gwenlyn Parry. Yn ôl Gwynne, roedd y ddau ohonyn nhw wedi trefnu i ysgrifennu drama am rygbi ar y cyd, ond yn anffodus ddaeth dim byd o'r syniad.

* * *

Roedd popeth yn cyffwrdd â'i gilydd yma, gwaith a gorffwys, diwydiant a diwylliant. Ac o ran gwaith, roedd tri dewis – y gwaith glo, mynd yn weinidog neu fynd yn athro. I fenyw, doedd y ddau ddewis cyntaf ddim yn bod. Felly, os oedd merch yn ddigon lwcus i gael parhau â'i haddysg, bod yn athrawes oedd yr unig obaith. Yn anffodus, collwyd llawer o ddarpar athrawon da am na fedrai eu teuluoedd fforddio eu hanfon i goleg.

Yn ferch ifanc, doedd pethe fel gyrfa yn poeni dim arna i. Oeddwn, roeddwn i'n mynnu chwarae ysgol 'da fy ffrindiau bach lleol o hyd, a finne'n mynnu cael bod yn athrawes arnyn nhw, wrth gwrs. Mae'n debyg i mi wneud hynny hyd at syrffed. Arferai Mami honni fod y plant yn pallu dod draw i tŷ ni ar ôl sbel am nad oeddwn i'n fodlon chwarae dim byd ond 'ysgol', ond mewn gwirionedd, roedd y dyfodol a gyrfa ymhell o'm meddwl i.

Roedden nhw'n ddyddiau da, y dyddiau hynny pan nad oedd angen cloc. Yr hwter, a sŵn traed y coliers yn cerdded i'r gwaith neu tuag adre oedd yn mesur a chyhoeddi'r amser. Fe ganai'r hwter dair gwaith bob dydd – ar gyfer shifft y bore, shifft y prynhawn a'r shifft nos. Yr unig adeg arall fydde fe'n canu, ac fe fydde hynny'n hala ias lawr fy nghefn i, oedd adeg damwain ddifrifol.

Roedd Dadi'n gweithio shifft y dydd a Wyndham, fy mrawd, yn dechrau ar y shifft prynhawn wedyn tan tua deg. Prin fod y ddau ohonyn nhw yn y tŷ ar yr un pryd. Pan ddeuai ei shifft i ben, fyddai Dadi byth yn ymolchi ym maddonau'r gwaith. Fe fyddai'n well ganddo ymolchi adre, mewn padell sinc fawr, a'r dŵr wedi'i dwymo mewn tecell ar y tân. Tua 1938, fe aeth e ati i ddymchwel hen sied a chodi stafell gysgu sbâr, pantri a stafell ymolchi, ond cyn hynny, yn y badell sinc oedd e'n ymolchi. Yn aml, ar ganol ymolchi, fe fydde fe'n cofio iddo beidio â chyflawni rhyw neges neu'i gilydd, ac yna fe fyddai'n galw arna i.

'Buddug! Cer lawr nawr i Flaenhirwaun a dwed wrth Wyndham am edrych ar injan fach y bumpcwart. Fe wnes i anghofio gwneud.' Injan fach dan ddaear oedd honno.

I ffwrdd yr awn innau, ar hyd y rheilffordd, gan gyfri trawstiau'r lein wrth gerdded drostyn nhw. Camu ymlaen yn hapus o drawst i drawst a dim tamaid o ofn wrth gerdded yn y tywyllwch. Hyd yn oed petawn i'n cyfarfod â rhywun, doedd dim angen ofni. Roedd pawb yn nabod ei gilydd, pawb yn ffrindiau, ac roedd e'n fyd diogel.

Newid wnaeth pethe, wrth gwrs. Un noson dyma Dadi'n gofyn i fi fynd draw â neges, yn ôl ei arfer, ond erbyn hyn roedd gen i ychydig o ofn cerdded trwy'r tywyllwch. Rown i'n tyfu, a rywsut roedd y byd wedi mynd yn llai diniwed.

'Cer ar y bws mor bell â Blaenhirwaun,' medde fe.

Fe glywais i Mami'n gweiddi. 'Os ddigwyddith unrhyw beth i'r ferch 'ma heno, Siah, wna i byth siarad â ti eto.' Ac yntau'n ateb, 'Fe fydd hi'n iawn.'

Fe es i ar y bws, bws James o Rydaman, a ches i ddim unrhyw drafferth, ond rwy'n cofio'r noson honno fel y tro cynta i mi sylwi fod cymdeithas yn dechrau newid. Roedd y sarff wedi dod i mewn i Eden, ac roeddwn inne'n ddigon hen i wybod hynny.

* * *

Fe gefais i aros ymlaen yn Ysgol y Gwendraeth nes oeddwn i'n ddeunaw oed, gan ddilyn cwrs paratoi ar gyfer Coleg Hyfforddi. Cwrs arbennig ar gyfer y rheiny oedd am fynd yn athrawon oedd hwn, ac erbyn hynny roeddwn i'n bwriadu hyfforddi i fod yn athrawes

42

plant bach. Roedd y cwrs yn gymysgedd o Saesneg, Cymraeg a Hanes, ac yn bwysig iawn, er na wnes i sylweddoli hynny ar y pryd, Drama. Yn y chweched dosbarth, fe fyddem ni'n cael darllen golygfa o ddrama ac yna'i pherfformio o flaen yr athrawes a'r dosbarth. Roedd hon yn ffordd dda o ddod i ddeall y ddrama dan sylw, ac yn caniatáu i ni fynd dan groen y ddrama, fel petai. Yn bwysicach na hynny, efallai, roedd hyn hefyd yn fodd o fagu hyder wrth draethu o flaen y dosbarth.

Roedd cwmnïau drama eisoes yn weithgar yn yr ardal ac yn yr ardaloedd cyfagos. Roedd gan Edna Bonnell gwmni yn y Pwll, Llanelli; roedd cwmni gan Ivor Thomas ym Mhont-henri, ac roedd gan Dan Mathews gwmni enwog ym Mhontarddulais. Wrth gwrs, byddai'r cwmnïau hyn i gyd yn perfformio yn Neuadd Cross Hands yn eu tro.

Yma yn ein hardal ni, digwyddai popeth o dan enw Cyngor Celfyddydau'r Mynydd Mawr. Roedd gennym gwmni drama, corau a chwmni opera, ac rwy'n cofio'n dda cymryd rhan mewn cynhyrchiad o *Hansel a Gretel*. Fi oedd y pedwerydd angel ar ddeg yn disgyn o'r nefoedd, a gwraig yr athro celf yn Ysgol y Gwendraeth oedd yr archangel. Roedd hi'n fenyw fawr, ac fe fyddai hi'n dod lawr o'r nefoedd ar fath ar winsh, a'r winsh yn gwichian yn uchel o dan ei phwysau. Roedd hi wedi gwneud gwallt ffug effeithiol iawn allan o siafins pren, a'r rheiny'n cwrlo, ac roedd ganddi ddwy adain fawr. A ni wedyn, y pedwar angel ar ddeg yn dod lawr i'r llwyfan, saith ohonom bob ochr i'r archangel fawr. Un noson, fe laniodd yr archangel ar un goes, colli ei chydbwysedd a disgyn yn glewt i'r llawr, fel rhyw awyren fawr wedi mynd mas o reolaeth. Fe fu'n rhaid ymdrechu'n galed i beidio â chwerthin ar drafferthion yr archangel ar y llwyfan y noson honno!

Ar ôl gadael Ysgol y Gwendraeth fe dreuliais i ddwy flynedd yng Ngholeg y Barri, a chael y fraint a'r pleser o astudio gyda Norah Isaac, a oedd yn diwtor yno bryd hynny. Yn ystod y cyfnod hwnnw fe wnes i berfformio yn anterliwt Twm o'r Nant, *Tri Chryfion Byd*, hoff ddrama Norah, ac mewn cynhyrchiad 'menywod yn unig' o *Hamlet*. Fe fyddai Norah yn llwyfannu *Tri Chryfion Byd* bob blwyddyn, mae'n debyg. Yn *Hamlet*, a berfformiwyd yn Gymraeg, Elinor Davies, mam Angharad Mair, oedd Hamlet a fi oedd y Torrwr Beddau, sef y clown. Rown i bob amser yn hoffi chwarae'r rhannau doniol.

Rwy'n dal i gofio rhannau helaeth o *Tri Chryfion Byd*. Rhyw fath o glown oeddwn i yn honno hefyd, Syr Tom Tel Trŵth.

> *Trwy'ch cennad heb gynnen a llawen ddull hoyw,*
> *Dymunaf yma seilens ac i bawb ddal sylw,*
> *Chwi gewch ddifyrrwch yn ddi-feth*
> *Os torrwch beth o'ch twrw.*

Un broblem gen i oedd deall rhai o'r geiriau Cymraeg yn y dramâu, yn enwedig yn *Tri Chryfion Byd*. Roedd e'r math o Gymraeg nad own i'n gyfarwydd ag e.

Cymraeg naturiol Cefneithin oedd fy Nghymraeg i, ac rown i ar goll gyda Chymraeg academaidd. Weithiau fe fyddwn i'n amau a oedd dyfodol i fi ym myd addysg ac rown i'n cwestiynu fy hunan yn gyson. A own i wedi cymryd y cam anghywir? A ddylwn i fod wedi aros gartre i weithio mewn siop neu swyddfa? Yn wir, rown i'n anobeithio weithiau ac yn teimlo fel rhoi'r ffidil yn y to. Ond os na fyddwn i'n sicr o ambell air, neu pan fyddwn i'n dechrau digalonni, fe fyddwn i'n mynd adre ac yn gofyn cyngor gan Carwyn, ac fe fydde fe'n esbonio popeth yn amyneddgar i mi, ac yn fy narbwyllo fy mod i'n gwneud y peth iawn. Fe fuodd e'n gymorth mawr ac yn gefn i mi ar adegau pan oeddwn i'n teimlo'n ansicr.

Wna i fyth anghofio Norah, dim mwy na wnaiff unrhyw un a ddaeth o dan ei dylanwad. Mae'n amhosibl dechrau disgrifio'i dylanwad a'i chyfraniad i genedlaethau o fyfyrwyr. Mae perthynas iddi, Lyn Rees, yn ffrind mawr i mi ac fe gafodd Elwyn a finne wahoddiad i briodasau ei blant ef a Heulwen. Yn y ddwy briodas, fe aeth Norah a finne allan am sgwrs, a'r hyn gawn i oedd gorchymyn ganddi, a chlap ar ei dwylo:

'Nawr 'te, Buddug, dewch ymlaen. Dewch â *Thri Chryfion Byd* i fi nawr!'

Yn y ddau achos, fe ddechreuais i gyda'r llinell gyntaf ac yna petruso, ond fe fyddai hi wedyn yn cario 'mlaen, yn cofio pob gair. Roedd hi'n fenyw anhygoel. Dim rhyfedd ei bod hi'n dal yn chwedl yng Nghymru, hyd yn oed ymhlith rhai na chafodd y fraint a'r profiad o fod wrth ei thraed. Ac er mor fregus fu ei hiechyd hi am flynyddoedd, fe ddaliodd hi'n gryf ei meddwl hyd y diwedd.

Yn y coleg hefyd fe ges i fy newis i chwarae rhan Joan of Arc yn nrama enwog George Bernard Shaw, ond fe ddalies i ddos ofnadwy o'r ffliw ac fe fu'n rhaid i rywun arall gymryd y rhan. Roedd hynny'n dipyn o siom.

Diolch fod Norah yng Ngholeg y Barri, rhywun y medrwn i droi ati, waeth fe wnes i dorri nghalon gan hiraeth yn ystod yr wythnos gyntaf yno, er i mi geisio cuddio hynny. Ei phresenoldeb hi a'm cadwodd i yno. Ond roedd y ferch oedd yn cysgu'r drws nesa i fi, a aeth yno'r un pryd â fi, hyd yn oed yn waeth nag oeddwn i. Mi lefodd honno'n ddi-stop am fis cyfan. Byw i mewn oedden ni, mewn dormitoris, a doedd y waliau ddim yn cyrraedd y nenfwd. Dyna lle y byddwn i bob nos yn gwrando ar Dilys yn llefen drws nesa. 'O, wi am fynd adre!' Ac fel hynny y buodd hi am fis cyfan, ei llais hi i'w glywed dros dop y wal, yn fy nghadw i ar ddihun ac yn gwneud i finne lefen hefyd ar adegau.

I fy chwaer Hilda y mae'r diolch am i mi gael mynd i'r coleg a llwyddo i aros yno. Erbyn hynny, roedd Hilda'n gweithio i'r Bwrdd Llaeth yn Llanelli ac yn ennill cyflog, a gan ei bod yn ddi-briod gallai wario ei harian ar ei chwaer fach. Bob bore Sadwrn yn ddi-ffael, a hynny am ddwy flynedd cyfan, byddai bocs bach yn

46

cyrraedd y Barri gyda fy enw i arno. Yn y bocs hwnnw, byddai yna baced o fisgedi a deg swllt i'm cadw am yr wythnos, nes cyrhaeddai'r bocs nesaf ar y Sadwrn canlynol.

Roedden ni'n cael mynd adre'n lled gyson, adeg chwarter tymor, hanner tymor, tri chwarter tymor ac ar ddiwedd tymor llawn. Cael teithio adre ar ddydd Sadwrn ac yna gorfod dod yn ôl nos Sul. Ar ddiwedd darlithoedd bore dydd Sadwrn roedd gofyn rhedeg i ddal y bws. Wrth gwrs, fe fydden ni hefyd yn cael gwyliau llawn dros y Nadolig, y Pasg, a'r Sulgwyn a thros yr haf. Oedd, roedd yna lawer o gyfleoedd i fynd adre, ond doedd hynny ddim yn lleddfu'r hiraeth pan fyddwn i oddi cartref.

* * *

Yn y coleg roedd cyrsiau ar gyfer athrawon babanod, plant iau ac uwch. Cwrs ar gyfer athrawon babanod ddilynais i, a babanod fues i'n eu dysgu gan fwyaf.

Bron yr unig ddewis i ddarpar athrawon yn y cyfnod hwnnw oedd mynd i Lundain neu Birmingham. Erstalwm, roedd yna ddywediad fod Cymru'n cynhyrchu tri pheth ar gyfer Lloegr, sef glo, dŵr ac athrawon. Wn i ddim faint o lo Cymru oedd yn mynd i Birmingham, ond yn sicr roedd llawer o ddŵr ac athrawon Cymreig yn llifo yno, ac yn y ddinas honno y cefais i fy swydd gyntaf

Wnes i ddim mynd i Birmingham ar ddechrau'r

tymor, fel yr oeddwn wedi bwriadu. Fe fu'n rhaid i fi gael triniaeth lawfeddygol ac yna gorfod mynd ar ben fy hunan fach i'r ddinas fawr ym mis Hydref. Ar ôl cael treulio'r haf adre, roedd gorfod gadael unwaith eto'n ddigon drwg, ond roedd Birmingham tipyn pellach na'r Barri, ac roedd mynd mor bell o gartref, a hynny ar fy mhen fy hun, yn waeth o lawer.

Mewn ardal o'r enw Perry Bar roeddwn i'n dysgu. Roedd hi'n ysgol anferth, gyda channoedd o ddisgyblion yno, yn wahanol iawn i'r ysgolion yn ôl adre yng Nghymru. Nid fi oedd yr unig Gymraes yno, roedd merch arall o Ben-y-bont yn dysgu yno, er nad oedd hi'n siarad Cymraeg, ac athro ifanc o'r enw Robin Lloyd. Robin Goch y dawnsiwr roeddwn i'n ei alw fe. Cyfeiriai'r 'coch' at liw ei wallt, ac roedd e'n ddawnsiwr da iawn. Mae'n rhyfedd meddwl am hynny yng nghyd-destun awyrgylch dysgu heddiw, efallai, ond bryd hynny, roedd hi'n arferiad gennym i dreulio ein hawr ginio gyda'r chwaraewr recordiau ymlaen ac yn dawnsio'n osgeiddig o amgylch y stafell athrawon! Dim ond yn ddiweddar y sylweddolais i fod Robin Lloyd, Perry Bar, yn dad i'r actores Betsan Llwyd – rhyfedd sut mae llwybrau troellog bywyd yn dal i groesi ei gilydd o dro i dro.

Yn ystod fy nghyfnod yn Birmingham, roeddwn i'n byw mewn tŷ yn Handsworth, cartref Mr a Mrs Thompson a'u plant, teulu annwyl iawn. Fe fues i'n byw yno gyda nhw am dair blynedd. Dyna oedd yr arferiad bryd hynny, a fedrwn i ddim fforddio prynu tŷ yno, mwy nag y medrai'r rhan fwyaf o athrawon y cyfnod. Rhyw lun ar 'bedsit' oedd gen i yno, ac roeddwn yn talu pump swllt yr wythnos yn rhent.

Bu gen i gryn hiraeth am adre yn Birmingham hefyd, ond roedd yno lawer iawn o Gymry eraill, a nifer ohonyn nhw o Ysgol y Gwendraeth. Wrth gwrs, fel ym mhob dinas fawr, roedd rhaid gwneud ymdrech os am gael bywyd cymdeithasol a chwmni pobl o'r un anian â chi. Un o'r pethe cyntaf a wnes i oedd ymuno â'r Gymdeithas Gymraeg yn y ddinas, oedd yn gryf iawn bryd hynny, ac roedd gan y gymdeithas gwmni drama gyda'r enw crand The Welsh Centre Amateur Drama Society. Un ddrama rwy'n cofio'n dda fod yn rhan ohoni hi oedd *The Late Christopher Bean*. Fe gafodd hi ei pherfformio yn y Moseley and Balsall Heath Institute ar nos Iau, 14 Ionawr 1954. Mae'r rhaglen gen i o hyd. Fi oedd yn chwarae rhan Gwenny, y forwyn Gymreig.

Yn yr olygfa gynta, rown i'n paratoi brecwast i gymeriad o'r enw Doctor Haggett a'i deulu, ac yn lle tost fe ddefnyddion ni Ryvita. Roedd hynny'n llawer haws na pharatoi tost yng nghefn y llwyfan, ac o ble'r eisteddai'r gynulleidfa, roedd tost a Ryvita yn edrych yn debyg iawn. Roeddem yn ffyddiog na fedrai neb ddweud y gwahaniaeth.

Er bod y Rhyfel drosodd ers tro, roedd rhai bwydydd yn dal i fod wedi'u dogni, losin, er enghraifft, ac un arall o'r bwydydd oedd yn dal i gael eu dogni oedd Ryvita. Yr hyn wnaethon ni felly oedd cael llond plât o

Ryvita ac yna cael plât arall yn dal darnau sgŵar o bren balsa, a oedd yr un ffunud â Ryvita, fel prop. Yn ystod y perfformiad, dyma fi'n cynnig tost i Doctor Haggett, ac yntau'n derbyn sleisen o bren balsa yn lle'r Ryvita go iawn. Dyna lle buodd e'n tagu ac yn poeri ei eiriau mas, yn gymysg â darnau o bren balsa, a finne'n lladd fy hunan yn chwerthin. Roedd briwsion pren balsa yn tasgu i bobman. Rhwng yr holl chwerthin ymhlith yr actorion, a'r brwsio darnau o bren o'r llwyfan, fe gymerodd y newid llwyfan rhwng dwy act gryn chwarter awr i ni. Wythnos yn ddiweddarach, fe wnaeth ffrind i fi gwrdd â'r bachan oedd yn actio Doctor Haggett ar y stryd.

'Dwed wrth Buddug fy mod i wedi gorffen pasio plancie,' medde fe. 'Mae pethe'n gwella. Rwy nawr yn dechre pasio blawd llif!'

Fe lwyfannwyd *The Late Christopher Bean* yn Gymraeg flynyddoedd yn ddiweddarach fel rhan o Ŵyl Ddrama Abertawe o dan y teitl *Gwyliwch y Paent*. Doeddwn i ddim yn rhan o'r perfformiad hwnnw, ond fe sylwais i ar rywbeth rhyfedd ynglŷn â'r ddrama. Yn Birmingham, ar y rhaglen swyddogol, priodolwyd y ddrama i Emlyn Williams. Eto i gyd, yn ôl manylion welais i am y dramodydd Sidney Howard, hwnnw oedd yr awdur. Mae'r peth yn ddirgelwch i fi. Fe lwyfannwyd y ddrama gyntaf, mae'n debyg, yn 1932, ac yn ôl yr un ffynhonnell, roedd rhan y cymeriad rown i'n ei chwarae, sef Gwenny, yn cael ei henwi fel Abby yn nrama Howard. Fe drowyd y ddrama yn ffilm yn

1955 gan 20th Century Fox gydag Otto Lang yn gynhyrchydd, ac unwaith eto, doedd dim sôn am enw Emlyn Williams.

Roedd bod yn aelod o'r Gymdeithas Ddrama yn dod ag ychydig o amrywiaeth i fywyd bob dydd. Nid bod dysgu'n rhywbeth undonog. Rown i'n mwynhau'r gwaith, ond ymhlith holl sialensau gofalu am ddosbarth o blant, roedd gen i un anhawster ychwanegol i ddelio ag e.

Yn y dosbarth yn yr ysgol roedd gen i 49 o blant ond dim ond 48 o ddesgiau. Wrth gwrs, fe ofynnais i i'r awdurdodau beth ddigwyddai petai'r nifer llawn yn troi i fyny un diwrnod, a'r ateb ges i oedd na fyddai hynny byth yn digwydd. Chawn i byth bresenoldeb gant y cant, medden nhw. Doedd e ddim wedi digwydd erioed yn hanes yr ysgol. Fe fyddai o leiaf un plentyn i ffwrdd o'r dosbarth bob dydd, a mwy nag un, fel arfer. Ond rown i'n teimlo, o nabod fy lwc i, ei fod e'n bownd o ddigwydd, ac wrth gwrs, fe wnaeth e. Ddim ond unwaith, mae'n wir, ond fe ddigwyddodd, ac wrth gwrs, roedd yn rhaid iddo ddigwydd i fi. Dim ond un ateb oedd i'r broblem, fe fu'n rhaid i'r plentyn dros ben eistedd wrth fy nesg i, ac rown i wedi blino'n lân erbyn amser mynd adre ar ôl bod ar fy nhraed yn tendio'r dosbarth heb fedru eistedd o gwbwl.

Yn rhyfedd ddigon, doedd teithio'n ôl ac ymlaen o Birmingham i Gefneithin ddim yn broblem. Roedd cymaint o Gymry o'r cylch yn dysgu yno fel y bydden ni'n hurio bws i'n cludo. Bob Pasg, Sulgwyn, haf a

51

Nadolig fe fyddai'r bws yn ein cludo ni'n ôl ac ymlaen. Byddai'r bws yn cychwyn y tu hwnt i Gaerfyrddin ac yn codi pobol yn Llandeilo a Ffair-fach cyn dod yn ei flaen trwy'r cwm ac yna bob cam i Birmingham. Roedd y siwrne'n cael ei threfnu fel rhan o weithgareddau'r Gymdeithas Gymraeg.

Nid yn y byd addysg yn unig yr oedd y Cymry alltud yn Birmingham yn gweithio. Roedd yno Gymry mewn pob math o ddiwydiannau yno. Os oedd e'n wir mai Lerpwl oedd prifddinas gogledd Cymru, yna Birmingham oedd prifddinas canolbarth a gorllewin Cymru. Fe fu Elwyn yn gweithio yno hefyd yn y dyddiau cyn i ni gwrdd. Roedd pedwar o'i deulu wedi mynd yno, yn cynnwys ei chwaer a'i gŵr, wedi i'r gwaith glo ym Mhont-henri gau i lawr.

Er mai Annibynwraig oeddwn i, i gapel y Methodistiaid y byddwn i'n mynd yn Birmingham. Hwnnw oedd y capel Cymraeg agosaf, ac roedd y lle'n llawn Cymry. Roedd hi bron fel bod adre. Ond roedd yna un gwahaniaeth mawr rhwng y capel yn Birmingham a'r Tabernacl yng Nghefneithin. Yn dilyn y gwasanaeth yn Birmingham fe fyddai yna ddishgled o de, a phawb yn cael cyfle i gymdeithasu ymysg ei gilydd cyn troi am adre. Wrth gwrs, roedd rhai yn dod o gyrion y ddinas ac roedd hyn yn gyfle iddyn nhw gwrdd a chael sgwrs am hyn a hyn ac am hwn a hon. Pawb â'i bwt o newyddion. Roedd yr aduniad wythnosol yn gyfle i gyfnewid hanesion am adre a byddai'r cymdeithasu yn cymryd bron gymaint o amser â'r gwasanaeth.

Un agwedd arall ar fyw yn y ddinas roeddwn i'n ei
mwynhau oedd y cyfle i fynychu cyngherddau, ac fe
fyddwn i wrth fy modd yn mynd i'r cyngherddau
cerddoriaeth glasurol a'r Summer Proms, fel yr oedden
ni'n eu galw nhw. Rwy'n cofio un arweinydd yn y
cyngherddau hynny, sef gŵr arbennig o dalentog o'r
enw Rudolph Schwartz. Fe fyddwn i'n eistedd yn y
gynulleidfa wrth gwrs, a phan fyddai Schwartz yn codi
ei ddwylo i arwain y gerddorfa, byddai ei lewys yn codi
hefyd, gan alluogi rhywun i weld y marciau amlwg ar
ei arddyrnau oedd yn dynodi iddo fod yn garcharor yn
Auschwitz. Pwy a ŵyr pa erchyllterau welodd e yn y
fan honno, ond does dim amheuaeth gen i mai'r unig
reswm y bu iddo gael ei arbed oedd ei dalent gerddorol.
Roedd hynny, rywsut, yn gwneud y cyngherddau
godidog hynny yn Birmingham yn fwy teimladwy i
ferch ifanc fel fi.

Roeddwn i yn Birmingham yn y cyfnod cyn i'r
mewnlifiad o bobol groenddu ac Asiaidd ddigwydd
yno. Heddiw, mae Handsworth yn enwog am ei natur
amlddiwylliannol, ond yr unig blentyn o wlad dramor y
dysgais i yno oedd merch fach o'r Aifft o'r enw Fatima,
a oedd yn rhan o deulu syrcas enwog Bertram Mills.
Roedd y syrcas wedi dod ar ymweliad â'r ddinas, a dim
ond am un diwrnod y bu Fatima yn yr ysgol. Roedd hi'n
dipyn o acrobat, ac yn lle'r wers ymarfer corff arferol,
fe gafodd gweddill y plant ei gweld hi'n perfformio yn
yr ysgol. Roedd hi mor ystwyth â maneg.

Flynyddoedd wedyn, a finne wedi dod yn ôl i ddysgu yn ardal Cefneithin daeth syrcas i Lanelli, ac fe es i â chroten fach fy mrawd yno. Lawr â ni i gae mawr ger yr hen ysbyty, ac yn ystod y toriad fe ofynnais i fy nith fach a oedd hi am gael hufen iâ? Oedd, wrth gwrs, felly draw â fi i brynu un, a fedrwn i ddim credu fy llygaid. Ar y cychwyn doeddwn i ddim yn siŵr, ond roeddwn i wedi'i hadnabod hi, hyd yn oed wedi'r holl flynyddoedd. Pwy oedd yno'n gwerthu'r hufen iâ ond Fatima.

'Fatima!' meddwn i. 'It's you, isn't it?'

Roedd ei thad yno'n ei helpu hi, a dyma fe'n syllu arna i, braidd yn amheus, ac yna dweud rhywbeth na fedrwn i mo'i ddeall, a hynny'n ddigon sarrug. Trodd Fatima ato ac esbonio wrtho mai fi oedd yr athrawes a fu'n ei dysgu hi ar y diwrnod hwnnw yn ysgol Perry Bar flynyddoedd ynghynt. Fe wenodd y tad ac fe ges innau fynd yn ôl i'm sedd gyda dau dwba o hufen iâ am ddim. Mae'r byd yn fach, on'd yw e?

* * *

Ar ôl i mi dreulio tair blynedd yn Birmingham, fe aeth Mami'n dost. Er nad oedd hi'n cyfaddef hynny, fe wyddwn i nad oedd hi'n dda. Bob tro y gwelwn i hi, fe fyddai hi'n edrych yn waelach, a phan fydden ni'n siarad â'n gilydd fe fyddai hi'n ymbil arna i i ddod yn ôl yn agosach at adre. Roedd hi'n gofidio amdana i yn y ddinas fawr, medde hi, neu o leiaf dyna a ddywedai hi. Ond fedrai hi ddim fy nhwyllo i. Fe wyddwn i mai ei salwch hi oedd y prif reswm dros ei hymbil. Roedd hi fy angen i gartre, er na ddwedai hi mo hynny. Roedd gen i deimladau cymysg yn gadael Birmingham, ond wrth gwrs rown i'n falch o gael dod yn ôl i fy nghynefin ac at fy nheulu. Gofynnais am y ffurflenni priodol er mwyn ceisio am swydd arall yn nes at adre, ac fe ddois i'n ôl i Gymru, i ddysgu ym Mrynaman, ac o fewn cyrraedd i Mami a Dadi.

Roedd pethe'n llawer mwy trafferthus o ran teithio'n ôl ac ymlaen i'r ysgol, ond rown i'n ôl yn gwmni i Mami, a dyna beth oedd yn bwysig. Doedd gen i ddim car, wrth gwrs, a byddai mynd i'r gwaith yn golygu mynd ar y bws i Rydaman a newid bws yno am Frynaman – tuag awr a hanner ar yr hewl bob dydd, bore a nos.

Ar ôl cyrraedd Rhydaman, roedd gen i tuag ugain munud i aros am fws arall yn garej James, a buan iawn y daeth y staff yno i'm nabod i. Fe fyddwn i'n cael gwahoddiad i mewn i eistedd wrth y tân wrth ddisgwyl y bws am Frynaman. A dyfalwch pwy fyddai ar y bws fel condyctor? Neb llai na Ronnie Williams, yn y cyfnod pan oedd e'n ceisio ennill ychydig o arian cyn mynd i'r coleg. Fe fydde fe'n ein cadw ni i chwerthin yr holl ffordd i Frynaman. Byth dim byd brwnt, dim ond hiwmor iach, a hynny'n denu llond bol o chwerthin.

O ddod yn ôl i Frynaman o Birmingham o ran gwaith, roedd y newid yn anhygoel. Dosbarthiadau bach yn un peth, ac felly llawer llai o bwysau gwaith. Doedd dim prinder desgiau chwaith, ac ar ôl yr holl Saesneg yn ail brifddinas Lloegr, Cymraeg oedd iaith popeth yn Ysgol Brynaman. Menywod oedd yr athrawon i gyd yno. Menyw oedd y pennaeth, ac roedd yna dair arall heblaw fi yn dysgu yno. Fyddai Miss Llewelyn, y brifathrawes, ddim yn dysgu, ond hi fyddai'n cadw trefn ar yr ysgol, gyda Miss Griffiths, Miss Lewis, Miss Jones a finne'n cymryd y dosbarthiadau.

Ddwy flynedd ar ôl dychwelyd o Birmingham fe gollon ni Mami. Sul y Pasg oedd hi, yn 1956, ac rwy'n cofio i'r cymdogion ddod draw i gydymdeimlo â ni ar ôl y gymanfa yn y capel.

Hyd heddiw, rwy'n falch iawn i mi lwyddo i ddod yn ôl a chael y cyfnod hwnnw gyda Mami. Roedd Hilda, fy chwaer, wedi priodi erbyn hynny, ac yn byw gyda'i gŵr, Islwyn, yn Llanelli. Roedd Wyndham hefyd wedi symud mas o'r cartre, ond roedd e o fewn cyrraedd hawdd i ni, gan ei fod yn byw mewn byngalo gerllaw. Cancr oedd wrth wraidd salwch Mami, ac fe waelodd hi'n raddol, dros gyfnod hir. Bythefnos cyn iddi farw, penderfynwyd rhoi llawdriniaeth iddi i geisio gweld a ellid cael gwared ar yr anhwylder, ond dim ond gwaethygu pethe wnaeth hynny, a chyflymu'r dirywiad ynddi. Roedd ei cholli hi yn ergyd drom iawn i'r teulu i gyd, ond roeddwn i'n diolch 'mod i wrth law i fod yn gysur i 'Nhad.

Roedd Dadi'n dal i weithio, ac rown i eisiau gofalu amdano, ond doedd teithio awr a hanner bob ffordd i Frynaman ac yn ôl ddim yn caniatáu i mi wneud hynny fel roeddwn i'n dymuno, felly fe adewais i, gan fynd i Lanarthne y tro hwn, oedd fymryn yn nes at adre.

Yn y cyfnod ar ôl colli Mami, fe ddaeth yna hapusrwydd annisgwyl i'm bywyd pan gwrddais i ag Elwyn. Fu dim rhaid i mi fynd yn bell i gwrdd ag e – dim ond i gartre rhieni Jean, ffrind i mi oedd yn byw jyst rownd y gornel, ac oni bai am y tywydd, falle na fydden ni rioed wedi cwrdd.

Roedd yr ysgol wedi torri lan ar gyfer gwyliau'r Nadolig, ac roedd Jean, oedd yn un o'n criw drama ni, yn digwydd bod gartre a minnau'n rhydd i fynd draw i'w gweld hi. Rwy'n cofio ei bod hi'n noson niwlog, ac roedd Elwyn wedi teithio o Bont-henri at ffrind oedd yn cadw'r siop fferyllydd y drws nesaf i gartre Jean. Roedd y fferyllydd ac Elwyn yn chwarae criced dros Rydaman ac ar eu ffordd i gyfarfod blynyddol y clwb criced, ond oherwydd y niwl, roedd y cyfarfod wedi'i ohirio ac felly fe benderfynon nhw alw draw gyda Jean hefyd. Rwy'n cofio i un o'r merched yno'r noson honno sibrwd yn fy nghlust, 'Hei, ma' hwnna â'i lyged arnot ti!' ond wnes i ddim cymryd llawer o sylw o'r hyn ddywedodd hi.

Dair noson yn ddiweddarach, roeddwn i yn y ddawns ym Mhontyberem. Roedd dawnsfeydd y Bont yn enwog drwy'r ardal, yn enwedig y ddawns Nadolig, a'r noson honno fe fentrodd rhywun draw i ofyn i mi ddawnsio. Elwyn oedd e, wrth gwrs, a dim ond saith mis yn ddiweddarach roedden ni'n ŵr a gwraig.

Yn fuan wedi i ni gwrdd fe gollodd Elwyn ei fam, a

dyma fi'n meddwl beth oedd y pwynt i Elwyn fod ar ei ben ei hunan, a finne a Dadi'n byw mewn tŷ digon mawr i'r tri ohonon ni, felly dyma benderfynu priodi. Priodas fach oedd hi; cynhaliwyd y gwasanaeth yng Nghapel y Tabernacl, gyda Morley Lewis, y gweinidog, yn gwasanaethu, ac yna'r brecwast yng Ngharreg Cennen gyda dim ond y teulu agosaf a ffrindiau clòs yn bresennol. Roedden ni'n teimlo fod rhyw ddathlu mawr yn amhriodol o dan yr amgylchiadau.

Trefnodd Elwyn ei fod e'n cael wythnos o wyliau adeg y briodas. Roedd angen rhai diwrnodau cyn y seremoni i ddelio â'r trefniadau, felly dim ond tridiau o'r gwyliau hynny oedd ganddo'n weddill wedi diwrnod y briodas. Roedd yn rhaid iddo ddychwelyd i'w waith fel clerc yn Ysbyty Dewi Sant, Caerfyrddin, y bore Llun canlynol. Fe gawson ni fynd bant ar ein mis mêl am y tridiau hynny, ac fe dreulion ni dri diwrnod yn y Cliff Hotel yn Gwbert.

Gan ei fod e'n teithio i Gaerfyrddin i'w waith, fe allai fynd â fi ran o'r ffordd i'r ysgol yn y boreau, gan fy ngadael ym Mhorth-y-rhyd, ac o'r fan honno fe fyddwn i'n dal bws y plant i'r ysgol. Digwyddai'r un peth ar y ffordd adre. Mynd ar fws y plant i Borth-y-rhyd i gwrdd ag Elwyn, neu os oedd Elwyn yn methu cwrdd â fi, fe fyddwn i'n dal bws arall adre.

Roedd gan Elwyn Morris Minor ac fe aeth e ati i roi gwersi gyrru i fi. Fe gefais i rai gwersi gan hyfforddwr proffesiynol yng Nghaerfyrddin hefyd, ac ar ôl ychydig amser, dyma ddatgan 'mod i'n ddigon da ac yn ddigon hyderus i sefyll y prawf gyrru.

'Pryd allwch chi roi cynnig arni?' medde fe.

Yr ateb gafodd e gen i oedd, 'Beth am hanner dydd ar ddydd Nadolig yng Nghaerfyrddin?' Siawns na fyddai hi'n dawel yno bryd hynny!

Ar ôl priodi, fe wnes i barhau i ddysgu, ond fe symudais eto o Lanarthne i Landdarog, a oedd yn fwy cyfleus eto, ac yno y bues i am naw mlynedd. Yn y cyfnod hwnnw, roedd Elwyn a minnau'n awyddus iawn i gael plant, ond fe fu'n rhaid aros yn hir nes i ni gael ein bendithio, o'r diwedd, â mab yn 1966.

Wedi i Rhodri gyrraedd, fe benderfynais ganolbwyntio ar fwynhau bod yn fam a rhoi'r gorau i ddysgu. Rown i'n teimlo fy mod i wedi gwneud fy rhan fel athrawes erbyn hynny, ond ymhen rhai misoedd dyma alwad ffôn, yn daer am i mi fynd i Lanpumsaint fel athrawes gyflenwi. Roedden nhw am gael rhywun a oedd yn medru gyrru car ac yn siarad Cymraeg, ac erbyn hynny roedd gen i fy nhrwydded yrru. Wnes i ddim neidio at y cyfle ar y dechrau. Fe esboniais i fod gen i fabi ifanc i ofalu amdano ac y byddai'n amhosibl i mi wneud y gwaith, ond doedd hynny ddim yn broblem yn Llanpumsaint – cynigiodd gwraig y prifathro ofalu am Rhodri bob dydd tra byddwn i'n dysgu yn yr ysgol! Roedd e'n drefniant anghyffredin, oedd, ond doedd e ddim mor rhyfedd ag y disgwyliech chi – roedd Lena, gwraig y prifathro, yn perthyn i mi, ac roedd Dadi wrth ei fodd fy mod i'n mynd â Rhodri gyda fi i'r gwaith yn lle gorfod gofyn i rywun arall ei garco. Felly dyna a fu.

Trefniant newydd a olygai fod Rhodri'n mynd gyda fi i'r ysgol cyn ei fod e'n flwydd oed. Byddai yntau'n mynd i mewn i dŷ'r ysgol at Lena, a finnau'n mynd yn fy mlaen, trwy'r drws arall ac i mewn i'r ysgol.

Er mor hwylus oedd y trefniadau, dim ond nes i'r athrawes arall ddod yn ei hôl o'i chyfnod mamolaeth yr arhosais i yn Llanpumsaint, ond roedd hwnnw'n ddechrau ar gyfnod o wneud gwaith cyflenwi mewn nifer o ysgolion wedyn – Llandeilo, Meidrim, Nantgaredig – a Rhodri'n dod gyda fi i bob un. Mae'n rhaid gen i ei fod e wedi mynychu mwy o ysgolion na neb arall yng Nghymru. Yn Nantgaredig y gwnaeth e ddysgu rhegi. Wna i ddim datgelu pwy ddysgodd e i wneud hynny, ond fe gafodd e addysg dda!

Pan ddaeth hi'n amser i Rhodri fynychu'r ysgol yn swyddogol, fe aeth i'r ysgol leol, ysgol Cefneithin, am ddwy flynedd. Erbyn hynny, roeddwn i'n teimlo fod Dadi wedi mynd yn rhy hen i'w nôl e, felly roedd cymydog yn gofalu am fynd ag e yno a'i mofyn e adre, ond pan ges i swydd barhaol yn Llanddarog roedd hi'n fwy ymarferol i Rhodri ddod gyda mi bob dydd.

Petawn i'n ifanc heddiw, dwi'n amau'n fawr a awn i'n athrawes. Mae bywyd athro wedi newid yn llwyr wrth i reolau iechyd a diogelwch fynd yn rhemp. Mae gen i drueni dros athrawon heddiw. Gwaith papur yw popeth. Pan ddechreuais i, fe fyddai'r plant bach newydd yn ddagrau i gyd yn y dosbarth derbyn, a phlant eraill yn cael dolur ac yn llefen. Roedd pethe fel hyn yn digwydd bob dydd, fel ag y maen nhw heddiw, wrth gwrs. Bryd hynny, fe gâi athrawon ymateb yn reddfol i'r gwahanol sefyllfaoedd. 'Dere yma i ti gael cwtsh,' oedd fy ymateb i gan amlaf, ond petawn i'n gwneud hynna heddiw, fe fyddwn i o flaen fy ngwell. Chawn i ddim cyffwrdd â phlentyn heddiw, ond licen i feddwl i mi fod yn famol iawn tuag at y plant bach hynny fu yn fy ngofal i.

Rwy'n dal mewn cysylltiad â llawer o gyn-ddisgyblion fu yn fy nosbarthiadau i. Fe gwrddais i â thair chwaer yn ddiweddar, y tair yn gyn-ddisgyblion i fi yn Llanddarog, a'r tair wedi graddio erbyn hyn. Dyma fi'n eu llongyfarch nhw, ond yna dyma nhw'n diolch i fi am fod yn rhan o osod y seiliau iddyn nhw. Mae hynna'n gwneud i rywun deimlo'n dda, clywed cyn-ddisgyblion yn dweud pethe gwerthfawrogol amdanoch chi a theimlo am eiliad eich bod chi wedi helpu eraill i gyflawni eu potensial. Dyna'r wefr oesol o fod yn athrawes wrth gwrs.

* * *

Fe aeth Rhodri ymlaen â'i addysg. O'r ysgol fach fe aeth ymlaen i Ysgol y Gwendraeth a wnes i ddim llai na meddwl y bydde fe â'i fryd ar fynd i goleg o ryw fath. Ond rown i'n gwbwl anghywir. Ac yntau ym mlwyddyn gyntaf y chweched dosbarth dyma fi'n dweud wrtho ei bod hi'n bryd iddo ddechrau meddwl nawr pa goleg yr hoffai fynd iddo.

'Pwy sy'n moyn mynd i'r coleg, 'te?' atebodd yntau.

61

'Wel,' meddwn i, 'fe fyddwn i'n hoffi dy weld ti'n mynd yn athro crefft.'

'Ond sa i'n moyn mynd,' medde fe.

'Wel, beth wyt ti am fod, 'te?'

A'r ateb ges i ganddo oedd, 'Saer coed.'

Fe ges i sioc. Doedd gen i ddim syniad ei fod e a'i fryd ar fynd yn saer, ond unwaith y des i dros y sioc, wnes i ddim gwastraffu amser o gwbwl.

'Iawn,' medde fi, 'does dim rheswm 'da ti i fynd i'r ysgol rhagor. Anghofia am Ysgol y Gwendraeth nawr.' Welwn i ddim un pwrpas iddo fe barhau yn yr ysgol os oedd e o ddifri am fynd yn saer. Gwastraff amser llwyr fyddai hynny.

Fe ffonies i o gwmpas y gwahanol seiri coed rown i'n eu nabod a gofyn iddyn nhw a fyddai ganddyn nhw ddiddordeb mewn cyflogi prentis. A wir i chi, ar ôl holi, fe ffeindiais i un yng Nghaerfyrddin. Dywedodd hwnnw wrtha i am anfon Rhodri ato'r bore wedyn gyda phensil a phren mesur, ond er y câi Rhodri brentisiaeth ganddo, fe wnaeth e rybuddio na fyddai hynny'n golygu y byddai swydd ar ei gyfer ar ôl cwblhau ei gwrs. Doedd yna ddim sicrwydd.

Fe gafodd athro da. Cyn-filwr oedd e, wedi bod yn ymladd yn Arnhem, ac roedd Rhodri'n ei addoli. Petai e'n dweud wrth Rhodri ei fod e'n mynd lan i'r lleuad i wneud jobyn, fe fyddai'r crwt wedi'i ddilyn yr holl ffordd yno heb holi pam.

Fe gafodd e brentisiaeth wych. Roedd e'n cael ei ryddhau o'i waith i fynychu Ysgol Rhydaman a Choleg

Technegol Llanelli unwaith yr wythnos, ac yn hufen ar y gacen, fe gynigiodd y Cyngor swydd iddo fe ar ddiwedd ei gwrs. Mae'r hyfforddiant gafodd e wedi talu ar ei ganfed. Mae e wrthi'n adeiladu ei dŷ ei hunan er mwyn byw yno gyda'i bartner, a hynny yma yn y filltir sgwâr heb fod ymhell oddi wrth Elwyn a finne. Ond fe allai hi fod yn stori wahanol iawn. Bron iawn iddo fe fynd i Awstralia ar un adeg. Fe aeth e a dau ffrind i fyw i Lundain am flwyddyn ac fe fu yno drafod mawr am y posibiliadau o ymfudo. Fe aeth y ddau arall, ynghyd â ffrind iddyn nhw, i Awstralia, ond aeth Rhodri ddim. Roedd angen mil o bunnau ar gyfer mynd, ac er nad own i am ei weld e'n mynd – fe fyddwn i wedi torri 'nghalon – fe gynigiais i roi'r arian iddo fe. Ond na. Yn ôl adre ddaeth e o Lundain, a diolch am hynny, er na fyddwn i byth wedi ceisio'i berswadio fe i aros gartre yn groes i'w ewyllys.

O ran ei grefft, mae e wedi'i hetifeddu hi oddi wrth Dadi ac un o'm brodyr, Wyndham. Mae'r grefft yn y genynnau, ac rown i'n teimlo iddo ddewis ei waith yn gall. Rwy'n cofio amdano fe'n dweud wrtha i un diwrnod, ar ôl bod i fyny yn y clwb yn chwarae rygbi dros Gefneithin: 'Wyddoch chi, Mam, pan fydda i'n mynd draw i'r clwb, rwy'n cwrdd â llwyth o fois yno gyda graddau, ond does ganddyn nhw ddim gwaith. Dwi'n falch i fi fynd yn saer.' Rown inne'n falch hefyd, achos roedd hi'n amlwg ei fod e'n cael pleser o ymarfer ei grefft.

Ymhen amser, fe benderfynodd Rhodri y dylai gael

gwaith arall er mwyn cynnal cysondeb cyflog yn y cyfnodau hynny pan oedd gwaith yn dawel yn y gaeaf, felly fe aeth i hyfforddi fel ymladdwr tân yn Reigate. Bu yno am ryw wyth wythnos, cyn dychwelyd adre a chael swydd ran-amser fel dyn tân yn Llanelli. Bellach, mae'n cyfuno ei ddyletswyddau fel dyn tân gyda'i grefft fel saer, a gorau oll, mae'n gallu gwneud hynny a pharhau i fyw yn ei filltir sgwâr.

* * *

Roedd Dadi'n 89 yn marw, ac fe fuodd e'n gweithio'n llawn amser nes oedd e'n 73. Sdim gwaith wedi lladd neb erioed. Dyna oedd ei ddadl ef, ac fe ddylai e wybod. Wnaeth neb erioed weithio'n galetach na fe, ac oni bai fod rhywun wedi cario clecs am ei oedran e, fe fydde fe wedi parhau i weithio. Fe gafodd e jobyn rhan-amser fel mecanic yn y gwaith glo brig wedi hynny, ac fe fyddai car yn dod i'w nôl e bob bore i fynd ag e i Gapel Hendre, ond yn anffodus, fe gafodd e brofiad annifyr yno. Yr hyn wnaeth ei ddanto fe oedd bod rhyw griw dieithr wedi dod i weithio yno a dwgyd peth o'i eiddo fe, gan gynnwys ei offer e. Roedd hynny'n siom ofnadw iddo. Roedd e wedi'i fagu mewn cyfnod pan oedd glowyr yn parchu ei gilydd, a fyddai neb erioed wedi breuddwydio dwyn offer cyd-weithiwr. Do, fe fu'r siom yn ddigon iddo fe benderfynu rhoi'r gorau iddi, ac ar ôl oes o waith caled a gonest, ar y diwedd, roedd ei gyd-weithwyr wedi'i fradychu. Honno oedd yr ergyd fawr. Rwy'n credu mai dyna pryd y sylweddolodd e fod yr hen gymdeithas gymdogol, glòs wedi mynd.

Erbyn hyn, wrth gwrs, mae'r gweithie i gyd wedi cau. Dyna i chi'r New Cross Hands, Blaenhirwaun, y Great Mountain, Pentre-mawr, Cynheidre a Chwmgwili. Gallwch ychwanegu'r Dynant, yr Emlyn, Gwaith Bach, Glynhebog, Capel Ifan, Carwe, Pont-henri a Thrimsaran at y rheina. Gweithie mewn cymunedau oedd yn cael eu cynnal gan y diwydiant glo oedd y rhain i gyd. Cyn ac ar ôl y Rhyfel roedd hyd at bedair mil o goliers yn gweithio yn y cwm, ond does dim sôn am y tipiau a roddodd yr enw Gwlad y Pyramidiau i'r cwm erbyn heddiw. Roedd pwll a drifft Cross Hands ar y safle lle mae canolfan fusnes y Cross heddiw, lle mae archfarchnad Leekes nawr yn sefyll. Yno y byddwn i, yn groten, yn mynd i gasglu glo, law yn llaw gyda Dadi. Roedd casglu glo o'r tip yn help i rywun fyw. Roedd y glowyr yn cael rhyw gymaint o lo am ddim fel rhan o'u cytundeb, ond doedd e ddim yn ddigon.

Yn y dyddiau hynny roedd undebaeth yn gryf. Wn i ddim ai oherwydd hynny neu er gwaethaf hynny y cafwyd streics. Dyna i chi streic 1926. Yn hytrach na segura, fe ddaliodd Dadi ar y cyfle i orffen cwpla'r tŷ yng Ngors-las. Fe fydde fe'n mynd lan i Fanc-y-llyn i nôl swnd mewn cart fach roedd ef ei hun wedi'i hadeiladu. Yn y Co-op y bydde fe'n prynu'r defnyddiau i gyd, a phopeth yn mynd i lawr ar y slaten.

Flynyddoedd lawer yn ddiweddarach, a minnau wedi mynd i siopa i rywle arall un tro, fe welodd Dadi'r bagie dieithr yn fy nwylo i.

'Beth yw'r bagie 'na sy' 'da ti, Buddug?' medde fe. 'Ble ma' bagiau'r Co-op?'

Finne'n edrych yn euog ond yn dweud dim. 'Rhag dy gywilydd di. Paid ti byth ag anghofio mor dda y buon nhw 'da dy fam pan own i ar streic.'

Dim rhyfedd fod ganddyn nhw deyrngarwch. Roedd y gwaith yn galed a'r colledion o ganlyniad i ddamweiniau a llwch y glo yn ddifrifol. Rwy'n cofio'n glir dod adre o'r ysgol o Frynaman unwaith a gweld y gwragedd i gyd mas. Finne'n gofyn beth oedd wedi digwydd.

'Cwymp ym Mlaenhirwaun,' medden nhw.

Wyddwn i ddim beth i'w wneud. Roedd gen i frawd i lawr yno, a Dadi. Prin y medrwn i ffurfio'r geiriau 'Oes rhywrai wedi'u lladd?'

A'r ateb, 'So'n ni'n gwbod 'to.'

Do, fe gafodd cwpwl piwr eu lladd, ac roedd un ohonyn nhw yn byw fyny'r tyle fan hyn, Haydn Morris, ond fe aeth cryn amser heibio cyn i ni gael gwybod y manylion. Doedd dim ffôn bryd hynny. Yno yr oedden ni i gyd, yn gymdogaeth gyfan, yn ofni'r gwaethaf. Fe ddaeth Dadi adre'n hwyr y nos wedi blino'n lân, ac rwy'n ei gofio fe'n ishte wrth ochor y dreif ger y tŷ â'i ben yn ei ddwylo. Roedd e wedi bod wrthi dan ddaear drwy'r dydd yn gweini ar y rhai oedd wedi'u dal o dan y cwymp gyda Wyndham a'r doctor, sef Doctor Sheahan. Yna dyma rywun yn cyrraedd ar gefn beic a dweud, 'Siah, dere, ma' dy ishe di 'to 'nôl yn y gwaith.' Ac yn ôl ag e, heb feddwl ddwywaith am y peth. Roedd nerth a chryfder yn y bois 'na. Rwy'n cofio hefyd i bartner i Wyndham gael ei ladd yn y gwaith. Roedd e'n digwydd sefyll yn y man anghywir pan ddisgynnodd y câtsh ar ei ben e a'i ladd e'n gelain.

Lawn cynddrwg â'r damweiniau oedd marw o'r silicosis – gwaeth, os rhywbeth. Fe fyddai marw mewn damwain yn digwydd yn sydyn, ond peth ofnadwy yw gwylio pobol yn marw o flaen eich llygaid chi, yn nychu'n araf ac yn boenus. Rwy'n dal i gofio peswch y coliers. Cofio amdanyn nhw, druain bach, yn ymladd am eu hanadl, a'u gwylio'n cerdded lan y tyle ac yn sefyll bob hyn a hyn i roi seibiant i'w sgyfaint.

Roedd Dadi'n lwcus mai mecanic oedd e. Roedd e'n gorfod mynd dan ddaear, mae'n wir, ond ddim cymaint â'r coliers. Diolch i Dduw nad oes neb yn gorfod mynd dan ddaear yma bellach. Doedd dim dewis gan Dadi a Wyndham yn y cyfnod hwnnw, heb iddyn nhw symud i weithio i rywle arall. Doedd dim gwaith arall i'w gael yma. Roedd hynny'n wir am ardaloedd eraill, wrth gwrs, fel Pontyberem a'r Cynheidre, ond doedd hynny'n ddim cysur.

Mae'n rhyfedd meddwl mai glo a fu'n gyfrifol am greu Cwm Gwendraeth yn gymuned ddiwydiannol, glòs, ac mai glo fu hefyd yn gyfrifol am y dadfeiliad. Fe fu agor Cynheidre yn ergyd i'r gwaith yn lleol. Roedd yr hen lowyr yn erbyn agor Cynheidre, roedden nhw'n gwybod pa mor wamal oedd y gwythiennau, y Bumcwart, y Fowr a'r Fraslyd, a gwir y dywedon nhw. Fe gafwyd problemau anferth, ac fe agorwyd y drws i fewnlifiad mawr. Ar ddechrau'r chwedegau fe anfonwyd Almaenwyr draw yma i ddangos i ni'r Cymry sut oedd codi glo. Meddyliwch y fath ddwli! Yr oen yn dysgu'r ddafad i bori! A dyma griw o Durham yn dod wedyn, y Durhamites. Fe ddaeth y glowyr dieithr â'u teuluoedd yma gyda nhw, a'u plant nhw'n llenwi'r ysgolion. Mae disgynyddion llawer o'r rheiny yn yr ardal o hyd, yn arbennig yn ardal Trimsaran. Mae llawer ohonyn nhw wedi toddi i mewn i'r gymdeithas a throi'n Gymry erbyn hyn. Ar ddechrau'r wythdegau wedyn fe agorwyd gwaith glo brig anferth Ffos-las ger Capel Hendre, gwaith a lyncodd ffermydd a thir dros ardal eang.

Mae pethe wedi newid yn fawr. Erbyn hyn mae'r hen reilffordd rhwng Cross Hands a Llanelli, honno y byddwn i'n cerdded drosti i Flaenhirwaun ar neges dros Dadi pan own i'n groten wedi'i throi yn drac ar gyfer beicwyr, a hwnnw'n ymestyn yr holl ffordd i Lanelli. Mae'r afonydd a'r nentydd yn rhedeg yn glir hefyd, ond pan oedd y gweithe'n eu bri roedd yr afonydd yn ddu fel tar – y Gwendraeth Fawr, sy'n rhedeg heibio'n tŷ ni, yn arbennig. Roedd hi'n gwbwl ddu ac afiach. Doedd dim bywyd ynddi. Rwy'n cofio hefyd ryw hen ewyn brwnt ar wyneb y dŵr, carthion, siŵr o fod, ond heddiw mae hi'n rhedeg yn loyw a chlir.

2.
Llwyfannau

Ar ôl dod 'nôl o Birmingham y cydiodd y diddordeb mewn actio o ddifri, gan mai dyna pryd y dechreuais i gymryd rhan yn gyson yng nghynyrchiadau amatur yr ardal. Mae traddodiad y ddrama wedi bod yn gryf iawn yn yr ardal hon, ond nid yw Cwm Gwendraeth yn unigryw yn hynny o beth. Mae yna ardaloedd glofaol eraill a all ddweud yr un peth, megis rhai o bentrefi Cwm Tawe a Rhosllannerchrugog yn y gogledd. Roedd yna ymdeimlad o warchod diwylliant yn perthyn i'r fro, ac mae'r hen chwedlau yn dal i gael eu cofio a'u hadrodd yma. Un enghraifft o hynny yw'r esboniad lleol am yr enw Garreg Hollt, lle dwi'n byw.

Y gwir, mae'n debyg, yw mai mellten drawodd y garreg a'i hollti hi, ond mae'n well gen i'r stori sy'n mynd â ni'n ôl i'r chwedl am Lyn Llech Owain uwchlaw Gors-las. Mae'r chwedl yn sôn am Owain ap Urien, un o farchogion Arthur, yn disgwyl am ei filwyr ar lan ffynnon ac yn teimlo'n sychedig. Fe godod e'r llechen oedd dros y ffynnon, ac ar ôl yfed fe anghofiodd e ailosod y llechen ac fe syrthiodd i gysgu. Pan ddihunodd e, roedd y ffynnon wedi gorlifo ac wedi creu llyn mawr. Cyn i'r dŵr orlifo dros y fro gyfan fe yrrodd e 'i geffyl ar garlam gwyllt o gwmpas y llyn ac fe ataliwyd y dŵr rhag mynd ymhellach gan ôl carnau'r ceffyl. Er iddo lwyddo i achub y cwm, roedd

Owain mewn cymaint o dymer am iddo fe wneud y fath gamgymeriad fel iddo daro'r ddaear â'i gleddyf gan hollti'r garreg sy'n cael ei hadnabod hyd heddiw fel y Garreg Hollt. Mae hi'n stori ddramatig iawn – efallai mai dyna pam rwy'n ei hoffi!

Pan ddois i ddysgu'n nes at adre er mwyn cael edrych ar ôl Mami, roedd yna dipyn o fynd ar y ddrama. Rown i wedi cadw'r diddordeb yn fyw yn Birmingham, wrth gwrs, gan ymuno â'r Gymdeithas Ddrama yno. Er bod Mami'n gwaelu'n raddol, a minne'n gorfod gofalu amdani a theithio i ddysgu ym Mrynaman ar yr un pryd, fe ddechreuais i gymryd rhan mewn gwahanol berfformiadau. Am ychydig, roedd Mami'n ddigon da i ddod i weld ambell i berfformiad ac rwy'n falch iddi gael y cyfle i weld ei merch ar y llwyfan. Rwy'n gobeithio fod hynny wedi rhoi boddhad iddi. Yn wahanol i Dadi, fe fu hi bob amser yn gefnogol i'r awydd ynddo i i berfformio – er, pan welodd hi fi'n actio Anne Boleyn mewn un cynhyrchiad, rwy'n siŵr iddi guddio'i hwyneb yn ei dwylo! Drama un act oedd hi am Harri'r Wythfed a'i holl wragedd yn y purdan, yn disgwyl cael mynd i'r nefoedd. Gwynne D Evans ei hun oedd yn actio rhan y brenin ac rown innau'n gwisgo rhyw flows isel – mor isel fel nad oedd hi'n gadael llawer i'r dychymyg!

Rwy wedi cael blas ar berfformio erioed, wrth draed Carwyn yn y clwb ieuenctid, ar lwyfan cyngherddau megis yr un gyda Sioni a Iori, yn y chweched dosbarth yn Ysgol y Gwendraeth, wrth draed Norah yng

Ngholeg y Barri, ac fel rhan o'r Gymdeithas Gymraeg yn Birmingham. Arferai Mami ddweud y byddwn i'n perfformio hyd yn oed os nad oedd neb o gwmpas i'm gwylio – yn ferch fach, mae'n debyg fy mod i wrthi'n actio ym mhob drych y digwyddwn weld fy adlewyrchiad ynddo! Mewn gwirionedd, i Gwynne D Evans y mae fy nyled fwyaf. Ef daniodd y diddordeb mawr mewn perfformio ynddo i, a Gwynne fu'n gyfrifol am droi'r gweithgareddau lleol yn gyfle i deithio drwy orllewin a de Cymru, rhannau o Loegr a hyd yn oed ar y Cyfandir.

Yn ogystal â pherffromiadau unigol, fe gâi cystadlaethau a gwyliau drama eu cynnal yn rheolaidd yn y neuadd yng Nghross Hands. Rwy'n cofio y byddai cwmnïau o'r Gwter Fawr yn dod yno'n aml, gydag Eic Davies, ymhlith eraill, yn eu cyfarwyddo. Yn wir, deuai cwmnïau o bobman gyda dramâu Cymraeg a Saesneg i berfformio am wythnos gyfan ar y tro ac i gystadlu â'i gilydd. Ar nos Sadwrn olaf yr ŵyl, fe gâi'r canlyniad ei gyhoeddi. Roedd pawb ohonon ni yn y gynulleidfa'n feirniaid bryd hynny, ac fe fydden ni'n barod iawn ein barn am benderfyniadau'r beirniad swyddogol.

Roedd Gwynne yn ganolbwynt yr holl weithgaredd. Ie, Gwynne D Evans fu'n gyfrifol am gychwyn pethe i fi ac hefyd i ddysenni eraill ym myd y ddrama yn y fro. Roedd e wedi'i eni yng Nghefneithin lle roedd ei deulu'n cadw siop a'r swyddfa bost ac fel Gwynne Siop y câi ei adnabod yn lleol. O'r ysgol fe aeth e ymlaen i astudio ym Mhrifysgol Abertawe. Fe fuodd e yn y fyddin am gyfnod, a phan ddaeth e allan yn 1947, fe ddechreuodd e ymwneud o ddifri â byd y ddrama. Fe aeth e'n athro i Ysgol Cefneithin, ei hen ysgol, ac yna cael ei benodi'n brifathro yn Ysgol Nant-y-groes. Drama Saesneg oedd ei ddrama gyntaf, *New Lamps for Old*, ac fe aeth ymlaen i gyfansoddi llwyth o ddramâu: *Lili'r Gwendraeth, Glo Caled, Brwydrau Cudd, Corn Beca, Glo i'r Marwor, Tra Bo Dau a Priodas Dda*, a llawer, llawer mwy. Fe fu'n llwyddiannus tu hwnt mewn cystadlaethau cyfansoddi drama yn yr Eisteddfod Genedlaethol.

O ran cynhyrchu, ef fu'n gyfrifol am lwyfannu *Under Milk Wood* yn Nhalacharn am y tro cyntaf yn 1958, ac am gynhyrchu sawl perfformiad arall wedi hynny. Fe wnaethon ni – y Llaregyb Players fel roedden ni'n galw ein hunain – berfformio'r ddrama bob tair blynedd am ddegawd a mwy. Gwynne hefyd oedd yn gyfrifol am y perfformiad cyntaf oll o *Dan y Wenallt*, cyfieithiad gwych T James Jones o'r ddrama, yn 1967. Pan gychwynnodd *Pobol y Cwm* roedd Gwynne yn rhan o'r fenter. Yn wir, fe fyddwn i'n mentro dweud ei fod e'n gwbwl allweddol i'r fenter.

Priodas Dda, drama a ysgrifennwyd gan Gwynne ac a gyfarwyddwyd gan Brin Davies, un arall o hoelion wyth y ddrama yma'n lleol, fu'n gyfrifol am newid fy myd i'n llwyr. Hon oedd drama gomisiwn Eisteddfod Genedlaethol Caerfyrddin yn 1974 a dyna'r llwyfaniad a arweiniodd at gael rhan yn *Pobol y Cwm* fel Bet

Harries, mam Reg, Wayne a Sab, a gwraig Dil. Fe welodd John Hefin y perfformiad hwnnw yng Nghaerfyrddin a gofyn a oedd gen i ddiddordeb mewn ymuno â chast *Pobol y Cwm*. Roedd aelod arall o'r cwmni drama, Ernest Evans, eisoes wedi cael rhan yn nrama'r BBC, *Angladd i Bawb* – eto gan Gwynne – cyn iddo yntau ymuno â *Pobol y Cwm* fel Sarjiant Jenkins. Mae Ernest yn byw jyst lan yr hewl. Mae e'n ddyn hyfryd, yn ffrind da i mi, ac mae'r ddau ohonon ni wedi bod ar lwyfan droeon gyda'n gilydd.

Prysurdeb Gwynne gyda *Pobol y Cwm* fu'n gyfrifol am ei orfodi i roi'r ffidil yn y to gyda'r cyfarwyddo yn lleol a throsglwyddo'r awenau i Brin Davies. Roedd Brin wedi hen fwrw'i brentisiaeth fel adeiladydd setiau ac fel dyn goleuo erbyn hynny, ac ef oedd yr olynydd perffaith i Gwynne gan fod y ddau ar yr un donfedd. Braf yw dweud fod Brin wrthi o hyd.

Agwedd Brin oedd y byddai popeth yn iawn erbyn y noson agoriadol, yn union fel yr hen raglen deledu honno *It'll be Alright on the Night*. Tra bydden ni, y cast, yn llawn panic munud olaf, byddai Brin yn dawel hyderus. Fe oedd yn iawn – byddai wedi paratoi'n drylwyr, ac er gwaethaf ambell i dro trwstan, fe fyddai pethe'n iawn bob tro. Rwy'n ein cofio ni'n mynd Felin-fach i gystadlu unwaith. Bant â ni â'r set gyda ni. Y ddrama oedd *The Guilty Generation* gan Margaret Wood, drama am deulu oedd wedi goroesi ar ôl rhyfel niwclear. Fe rybuddiodd yr un oedd yn helpu gyda'r set fod y lliw anghywir wedi'i ddefnyddio arni. Cefndir o greigiau oedd y set, wedi'i hadeiladu allan o polystyrene a sachau. Wir, roedd hi'n set wych – ar wahân i'r lliw! Roedd hi'n edrych yn iawn mewn golau cyffredin, ond o dan oleuadau llwyfan roedd yna berygl iddi edrych braidd yn rhyfedd. Fe dynnwyd sylw Brin at y lliw, ond doedd dim newid y lliw i fod. Fe osodwyd y set ar y llwyfan, ond pan gododd y goleuadau fe allwn i dyngu fy mod i yn Blackpool. Roedd hi'n disgleirio'n llachar fel y Golden Mile. Ddweda i ddim mai ar y set oedd y bai, ond wnaethon ni ddim ennill y noson honno. Ond dyna fe, yr hwyl oedd yn bwysig i bob un ohonom, nid yr ennill, ac yn amlach na pheidio, roedd yna fwy o ddrama oddi ar y llwyfan nag oedd arno.

Dro arall wedyn, fe aeth y criw yn ôl i berfformio yn Felin-fach, ac unwaith eto aethpwyd â'r set gyda'r cwmni yng nghist y car. Lle tân oedd y set y tro hwn, gyda chist y car yn agored a'r set wedi'i chlymu'n ddiogel, neu felly yr oedden ni'n tybio. Cyn cyrraedd Llambed fe welodd un o'r criw, wrth edrych drwy'r ffenest ôl, fod y set wedi diflannu. Dyma sylweddoli ei bod hi wedi disgyn ar yr hewl yn rhywle, ac fe fu'n rhaid troi'n ôl i chwilio amdani. Diolch i'r drefn, fe gawson ni hyd i'r lle tân ar ôl dilyn ein camre am rai milltiroedd. Fe fu'n rhaid ei hail-lwytho a'i chlymu hi'n ddiogelach y tro hwn, a'i thrwsio cyn mynd ar y llwyfan.

Roeddwn i wedi perfformio mewn rhai o ddramâu Brin flynyddoedd cyn iddo gymryd yr awennau oddi wrth Gwynne. Arferai Brin gynnal nosweithiau drama pan oedd e'n athro yn Nhalyllychau ac roedd ganddo fe gwmni bach da a gweithgar yno. Rwy'n cofio perfformio *Pen y Daith* gydag e, a dyna i chi deitl addas ar gyfer y fath noson. Fues i rioed yn fwy awyddus i gyrraedd pen y daith na'r noson honno. Fe fu'n rhaid i mi deithio i fyny yno drwy storm o eira. Dim ond digon o led i un car oedd ar y ffordd, a dilyn ôl tractors oedden ni, fi ac Elwyn, ond mynd wnaethon ni, er gwaetha'r tywydd garw, ac roedd neuadd yr ysgol yn orlawn, llawer yn gorfod eistedd ar silffoedd y ffenestri, eraill yn sefyll ar eu traed yn y cefn.

Ers blynyddoedd mae e Brin wedi bygwth rhoi'r tŵls ar y bar, ond mae drama yn ei waed, ac yn ddiweddar fe fuodd e'n brysur yn cynhyrchu *Ein Tref Ni*, cyfieithiad o *Our Town* gan Thornton Wilder. Os yw rhywun yn gofyn i Brin gynhyrchu drama, fedr e ddim gwrthod. Mae e'n ddramaholic ac mae ei frwdfrydedd e'n heintus. Rwy i fy hunan wedi rhoi'r gorau i fod yn drysorydd Cwmni Theatr Fach Cross Hands ers pedair blynedd, ond dyw Brin ddim wedi derbyn hynny. Mae e'n gwybod yn iawn fy mod i wedi rhoi'r gorau i'r swydd, ond dyw e ddim wedi trosglwyddo'r swyddogaeth honno i neb arall eto. Rwy wedi bod yn drysorydd ers mwy o flynyddoedd nag yr hoffwn i eu cofio na'u rhifo, ac erbyn hyn, fe ymddengys y bûm i'n drysorydd am rai blynyddoedd er i mi roi'r gorau iddi!

Mae yna griw gweithgar wedi bod yma ar hyd y

blynyddoedd yn llafurio y tu ôl i'r llwyfan, pobl fel Wil Davies, Harri Owen a Harford Davies. Maen nhw wedi bod wrthi yn y cefndir drwy'r cyfan, yn gweithio'n ddygn a thawel ac maen nhw'n gwbl allweddol i'r broses o greu cynhyrchiad da. Rhan bwysig o'r pleser i ni i gyd, wrth gwrs, oedd y cymdeithasu. Wn i ddim sawl tro y clywais i rywun yn gweiddi, wrth i'r sesiwn ymarfer lusgo yn ei flaen, 'Dewch mlaen nawr, ry'n ni'n colli amser yfed gwerthfawr fan hyn! Dewch, wir!'

* * *

O dan nawdd Cyngor Celfyddydau'r Mynydd Mawr, pan ddechreuodd yr opera edwino ychydig, y camodd Gwynne D Evans i'r adwy gyntaf gyda'i gwmni drama. Yn y cyflwyniad i'r gyfrol Cwm Gwendraeth yng Nghyfres y Cymoedd, mae Hywel Teifi Edwards yn gresynu nad oes neb wedi rhoi sylw manwl i waith Gwynne fel dramodydd, ac mae hynna'n wir. Chafodd e ddim hanner digon o gydnabyddiaeth am ei waith, yn fy marn i. Yn ystod y pumdegau fe enillodd droeon yn yr Eisteddfod Genedlaethol am gyfansoddi dramâu hir. Yn Aberystwyth, yn 1952, fe enillodd gyda *Brwydrau Cudd*, drama am weithgareddau cyfrinachol aelodau o fyddin gudd wedi i Hitler goncro Cymru. Y flwyddyn wedyn enillodd gyda'i ddrama *Glo Caled* yn y Rhyl, drama am effeithiau llwch y glo a damweiniau tanddaearol ar y gymuned lofaol. Doedd dim angen gwaith ymchwil arno fe ar gyfer ysgrifennu honno. Roedd y cyfan yn rhan o'i fywyd e. Yn Ystradgynlais y flwyddyn wedyn fe'i dyfarnwyd yn fuddugol am *Lili'r Gwendraeth*, drama hanesyddol am y Dywysoges Gwenllïan. Y flwyddyn wedyn enillodd *Corn Beca*'r wobr am ddrama hir ym Mhwllheli, drama am helynt Merched Beca yng Nghwm Gwendraeth. Yna, yn 1957 enillodd am y pumed tro'n olynol gyda *Glo i'r Marwor*, drama am ddarganfod glo ac am y gwrthdaro a ddilynodd rhwng y gweithwyr a'r perchennog, a hanes twf undebaeth. Enw'r pentref lle digwydd yr hanes, credwch neu beidio, yw Cwmderi. Comisiynwyd Gwynne hefyd i ysgrifennu drama gomisiwn Eisteddfod Maldwyn yn y Drenewydd yn 1965, sef *Yr Etifeddwyr*, gyda Chwmni Ceredigion yn ei pherfformio, ac Alwyn Jones – a fyddai'n ddiweddarach yn chwarae rhan y Cynghorydd Herbert Gwyther yn *Pobol y Cwm* – yn cynhyrchu.

Mae'n anhygoel pa mor amrywiol oedd testunau dramâu Gwynne, ac fe gawson ni berfformio nifer ohonyn nhw. Rwy'n cofio actio yn *Lili'r Gwendraeth* yng Nghastell Cydweli, gyda Wil Davies yn cynhyrchu. Roedd y perfformiad yn rhan o Ŵyl Prydain yn 1951 ac fe wnaethon ni ei llwyfannu hi yn yr awyr agored. Fi oedd yn chwarae rhan morwyn y Dywysoges Gwenllïan. Y tro hwnnw, roedden ni'n perfformio o dan enw Cwmni Cyngor Celfyddydau'r Mynydd Mawr. Ar gyfer Gŵyl Cymru 1958 wedyn fe wnaethon ni berfformio *Corn Beca* a *Glo i'r Marwor*.

Fe gaiff Gwynne ei gysylltu am byth â Neuadd y Cross. Yn yr un modd ag y cafodd Brian Rix ei gysylltu â'r Whitehall Theatre, roedd Gwynne a Neuadd y Cross yn un. Yno y câi ei ddramâu eu perfformio am y tro cyntaf, ac roedd hynny'n rhoi cyfle iddo gael barn ei bobol ei hun ar ei waith. Perfformiwyd rhai o'i ddramâu yno cyn eu hanfon i'r gystadleuaeth yn yr Eisteddfod. Defnyddiai lwyfan Neuadd y Cross fel rhyw fan prawf, ac fe allai arbrofi ac addasu'r dramâu wedyn yn ôl yr angen. Hoffwn i feddwl mai llwyfan Neuadd y Cross oedd yn ychwanegu'r sglein olaf at y gwaith.

Mae Neuadd y Cross wedi bod yn allweddol i ddiwylliant y fro o'r dechrau. Cyd-ddigwyddiad diddorol oedd fod y syniad am godi neuadd wedi dod yn yr un flwyddyn yn union ag y cyrhaeddodd diwygiad Evan Roberts i Gwm Gwendraeth, sef 1904. Ac fe fyddai rhai yn dweud fod Evan Roberts, fel llawer o'r hen hoelion wyth, yn actor gwych.

Daeth y neuadd yn ganolfan i'r fro gyfan. Fe wnaeth y capeli ddefnydd mawr ohoni ar gyfer eisteddfodau, cyrddau mawr a hyd yn oed gyrddau ordeinio, ac erbyn canol y dauddegau gwelwyd dramâu gan ddramodwyr o bwys yn Neuadd y Cross. Erbyn i fi gael fy ngeni roedd y neuadd wedi ehangu'n fawr. Roedd stafelloedd darllen a phwyllgora a bwrdd biliards wedi'u hychwanegu, a thua'r un amser fe osodwyd ffenestri newydd a tho na welwyd ei fath o'r blaen ynddi. Roedd y nenfwd yn sicrhau'r acwstics gorau posibl. Roedd

Fi ac Orien Jones – 'A Couple of Swells'. Fi yw'r un ar y dde.

Y llun cyntaf ohonof fi, tua deunaw mis oed, gyda Hilda a'r afr

Cynhyrchiad Coleg y Barri o *Tri Chryfion Byd* – gyda Norah Isaac ar y chwith a finnau yw'r drydedd o'r chwith.

Cynhyrchiad Coleg y Barri o *Hamlet*, wedi ei gyfarwyddo gan Norah Isaac. Fi yw'r torrwr beddau – yr ail o'r chwith yn y rhes gefn.

Elwyn a minnau, yn ein dillad gorau! Ar ein ffordd i ddawns aduniad Ysgol y Gwendraeth

Gyda Hilda, ar ddiwrnod fy mhriodas ag Elwyn – Gorffennaf 24ain 1957

Mami a Dadi, ar ddiwrnod priodas fy chwaer, Hilda.

Elwyn a minnau ar ddydd ein priodas, y tu allan i westy Carreg Cennen.

Elwyn yn gapten ar y tîm rygbi yn Ysgol y Gwendraeth – fe sy'n dal y bêl

GWENDRAETH VALLEY SECONDARY SCHOOL

Fy nhad – 'Dadi Graig' –
gyda Rhodri'n fabi

Elwyn a minnau yn dwlu ar Rhodri

Elwyn (ar y dde) gyda'i
ffrind Carwyn James
ar daith tîm criced i
Wlad yr Haf

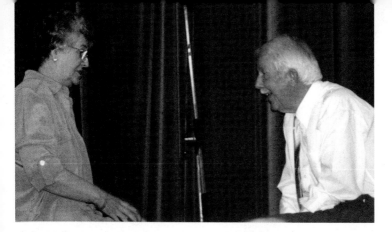

Ernest Evans a minnau, yn
ystod un o'n perfformiadau o
Under Milk Wood yng
Nghlwb Cymry Llundain

Fi fel Rosie Probert,
o *Dan y Wenallt* –
gyda'r wig gwallt golau!

Ymarfer cyntaf y Llaregyb Players o *Under Milk Wood*,
gyda Gwynne D Evans yn ein cyfarwyddo

Fi, Elwyn, Rhodri a Siân ar ein ffordd i briodas teuluol

Lansio fideo 'Twin Town' yn siop fideo Pontyberem gyda
Amanda Williams, perchennog y siop.

Perfformio *Under Milk Wood* yn Doneghal

Rhodri yn derbyn ei wobr – bwyell arian – gan
Brif Swyddog Tân Dyfed ar y pryd

Elwyn a minnau ar ddathliad ein priodas aur yn 2007

ynddi hefyd ddyfais a oedd yn sugno awyr fwglyd lawn sigaréts allan a gollwng awyr iach i mewn. Roedd angen hynny pan fyddai Gwynne o gwmpas! Roedd e'n smygwr o fri. Heddiw, wrth gwrs, fyddai dim angen hynny. Beth wnâi Gwynne pe na allai smoco yn Neuadd y Cross, Duw a ŵyr! Fel Carwyn, roedd e'n tynnu'r mwg o'i draed ac yn pwffian fel trên.

Ddiwedd y tridegau sefydlwyd Cyngor Celfyddydau'r Mynydd Mawr. Un o'r hoelion wyth yn y fenter oedd Tom James, yn ogystal â'i feibion, Emlyn a Cis. Roedd Tom yn organydd yn y Tabernacl, Emlyn yn arweinydd ac yn offerynnwr, a Cis yn arweinydd Cwmni Opera'r Mynydd Mawr; roedd ganddyn nhw siop gerdd rownd y gornel. Cyngor Celfyddydau'r Mynydd Mawr fu'n gyfrifol am lwyfannu'r opera *Hansel a Gretel* gan Humperdinck yn y neuadd – y cynhyrchiad y soniais i amdano eisoes gydag anffawd yr archangel. A bod yn ddifrifol am eiliad, dyna'r tro cyntaf erioed i'r opera gael ei pherfformio gan gwmni amatur. Cafwyd dyn pwysig o Goleg Bryste, Thomas Taig, i'w chynhyrchu, a dyma pryd y dois i'n ymwybodol gyntaf o waith gwych Brin Davies a Trefor James, athro celf Ysgol y Gwendraeth, ar y setiau. Byddai'r perfformiadau hyn yn rhedeg am tuag wythnos a hanner, gyda'r holl ardal yn fwrlwm o weithgaredd, a'r neuadd yn llawn hyd yr ymylon bob tro.

Adeg y Rhyfel, pan gafodd Abertawe ei bomio'n ddidrugaredd, symudodd y BBC eu stiwdio fawr i

Neuadd y Cross. Denwyd cerddorfeydd enwog yma a cHafwyd grant i sefydlu goleuadau llwyfan gyda'r gorau yng Nghymru. Yr adeg hon hefyd, ac am gyfnod byr wedi hynny, byddai yna gerddorfeydd yn ymddangos yno gyda charcharorion rhyfel – Almaenwyr, Eidalwyr ac yn y blaen – yn aelodau ohonynt.

Ar gyfer y gwahanol ddigwyddiadau – dramâu, operâu, cyngherddau a datganiadau cerddorfaol – fe fyddai'r tocynnau'n cael eu gwerthu rownd y tai wythnosau cyn y perfformiad, a'r tocynnau hynny wedyn yn cael eu gosod ar y dreser neu ar y silff-ben-tân mewn man amlwg i atgoffa pawb o'r perfformiad.

Cyn belled ag yr oeddwn i yn y cwestiwn, rown i'n un o nifer o bobol yr ardal a oedd yn aelodau o'r gymdeithas ddrama. Gyda fi roedd Ivy Jones o'r Tymbl, Irene James o'r Cross, Allenby Davies o Garreg Hollt, Emrys Jones, Gors-las, Pat Williams, hefyd o Gorslas, Myfanwy Morgan o Dre-fach, Winnie Evans o'r Cross a Thelma Edwards o Gefneithin.

Fe ddaeth cyfnod aur Neuadd y Cross i ben wrth i gysgod diweithdra gyrraedd yr ardal, ac fe effeithiodd hynny ar bob agwedd o fywyd.

Ergyd fawr fu cau gwaith Cross Hands yn 1949, er bod miloedd ar filoedd o dunelli o lo yn dal yno. O ganlyniad i gau'r gwaith, crebachodd poblogaeth Cross Hands o bedair mil ar ddiwedd y tridegau i ychydig dros ddeunaw cant. Fe barhaodd gweithgareddau'r neuadd i mewn i'r pumdegau, ond nid ar yr un raddfa, er ei bod hi'n wir dweud fod gwyliau drama wedi parhau'n boblogaidd yno am gyfnod.

Ochr yn ochr â chau'r gwaith, gwelwyd lleihad yng ngweithgareddau'r capeli. Tra oedd y capeli a'r neuadd yn edwino, tyfodd poblogrwydd y clybiau cymdeithasol. Roedd tri chlwb yn yr ardal ar un adeg: y Legion, Clwb y Gweithwyr yng Nghross Hands a'r Clwb Rygbi. Erbyn y chwedegau, dim ond ambell i ddawns ac arian rhent gan glinic lleol a oedd yn defnyddio'r neuadd oedd yn dod i mewn. Fe ddaeth y diddordeb newydd mewn canu pop Cymraeg ag ychydig o achubiaeth, gyda sêr fel Hogia'r Wyddfa a Tony ac Aloma'n ymddangos yno, ac fe wnaed defnydd ohoni hefyd gan Joe Jones, a oedd yn rhedeg Recordiau Cambrian ym Mhontardawe. Ddechrau'r saithdegau, derbyniwyd y siec olaf o'r diwydiant glo, siec am £3.50, ac yn ôl un adroddiad, doedd hynny ddim yn ddigon i brynu'r Windolene er mwyn glanhau'r ffenestri!

Dechreuodd y neuadd ddadfeilio. Fe symudwyd y llyfrau o lyfrgell y neuadd i'r Llyfrgell Genedlaethol yn Aberystwyth. Roedd dau o'r muriau bron â disgyn ac roedd angen boeler newydd, trwsio'r to, ac ail-weirio. Rhwng popeth, roedd gwariant aruthrol yn angenrheidiol i gynnal y neuadd i safon ddigon da ar gyfer ei chadw ar agor. Roedd e fel arllwys arian i mewn i bwll diwaelod, ac yn 1984, daeth yr anochel. Caewyd y neuadd. Doedd dim dewis ond ei chau gan nad oedd hi'n ddigon diogel i'w chadw ar agor erbyn hynny, a'r argoelion oedd y câi'r hen le ei ddymchwel. Roedd hynny'n dorcalonnus. Meddyliwch am le mor hanesyddol yn gorfod cau – neuadd yr oedd y glowyr wedi talu amdani o'u cyflogau prin, neuadd a fu'n galon i'r gymuned gyfan, neuadd lle roedd Lewis Casson a Sybil Thorndike wedi troedio'r llwyfan.

Er gwaetha'r rhagolygon tywyll, daeth achubiaeth gwbl annisgwyl i Neuadd y Cross. Ar ddechrau'r nawdegau etholwyd Brin Davies yn Faer Bwrdeistref Llanelli, ac yn draddodiadol, câi'r Maer newydd ddewis ei hoff brosiect ar gyfer ei ddatblygu, a bendith arno – fe ddewisodd Brin adfer Neuadd y Cross. Cafwyd grantiau gan wahanol gyrff, yn cynnwys hanner miliwn o bunnau gan y Swyddfa Gymreig ac achubwyd y neuadd. Mae pethe wedi newid yno, wrth gwrs. Sinema yw asgwrn cefn y neuadd bellach, ond mae ei dyfodol yn ddiogel am nawr, a diolch am hynny.

* * *

Fe gadwais i raglenni pob perfformiad y bues i'n rhan ohono. Maen nhw'n fwndel gen i yn y drôr, ac maen nhw bob un yn dod ag atgofion gwerthfawr yn eu sgil. Maen nhw'n fy atgoffa o oes aur y ddrama yn y cwm, ond mae ambell un o'r rhaglenni hynny'n mynd â'r cof i grwydro ymhellach na chyffiniau Cwm Gwendraeth hefyd.

Ar gyfer Gŵyl Gyhoeddi Eisteddfod Genedlaethol Rhydaman, ym mis Rhagfyr 1969, fe wnaethon ni lwyfannu *Eisteddfa'r Gwatwarwyr* gan Tom Richards. Rhaglen arall sydd gen i yw honno ar gyfer llwyfannu *Crisis in Camelot* gan Ken Etheridge yn y Coliseum yn Aberdâr, lle rown i'n portreadu Morganne le Fay. Fe fues i'n rhan o gast *The Guilty Generation* gan Margaret Wood yn Felin-fach, honno gyda'i set liwgar. Does yna fawr o drefn gen i ar y rhaglenni, ond mae'n braf edrych arnyn nhw o bryd i'w gilydd a gweld enwau'r hen ffrindiau i gyd ynddyn nhw.

Hwyrach mai *Under Milk Wood*, a'r trosiad Cymraeg *Dan y Wenallt* gan T James Jones, yw'r ddrama agosaf at fy nghalon i. Rwy'n credu i fi chwarae rhan pob un o'r menywod, ar wahân i May Rose Cottage (rown i'n rhy hen i chwarae honno!) dros y blynyddoedd. Fe gollais i'r perfformiad Cymraeg cyntaf o'r ddrama yn 1967 am fod Rhodri'n fabi, ond fe fues i ym mherfformiad cyntaf Chwaraewyr Llaregyb o *Under Milk Wood* yn Nhalacharn yn 1958. Gwynne D Evans oedd yn cynhyrchu, a synnwn i ddim nad hwnnw oedd y perfformiad llwyfan cyntaf o'r ddrama y tu allan i Lundain.

Bu'r ddrama ymlaen dros bedair noson mewn pabell fawr a godwyd ger gwesty Glan-y-môr. Dair blynedd yn ddiweddarach roedden ni'n ôl yno fel rhan o Ŵyl Talacharn. Yn dilyn y perfformiadau hynny, galwodd Gwynne am sefydlu Theatr Goffa Dylan Thomas yno ac fe gafodd y syniad groeso mawr ar y pryd. Yn anffodus, fel cymaint o syniadau da yng Nghymru, ddaeth dim byd ohono fe wedyn. Chafodd e ddim mo'r gefnogaeth roedd e'n ei haeddu, a thrueni mawr yw hynny.

Rwy wedi chwarae, ar wahanol adegau, gymeriadau Rosie Probert, Mrs Willy Nilly, Mary Ann Sailors, Mrs Dai Bread Two, Mrs Cherry Owen – pawb, bron. Fe fuon ni ar deithiau di-ri â'r ddrama: rown i yn y perfformiad yn Eisteddfod y Barri yn 1958; fe aethon ni â hi i Malvern a'r Gymdeithas Gymraeg leol; ac fe fuon ni'n cynnal darlleniadau mewn sawl coleg prifysgol. Yn wir, fe aethon ni â hi i'r Iseldiroedd ddwywaith.

Roedd yna fenyw o'r Iseldiroedd o'r enw Nelly Klugt roedd wedi ffoli ar Dylan Thomas. Hi oedd wedi sefydlu Cymdeithas Dylan Thomas yn yr Iseldiroedd, a hi drefnodd y ddwy daith. Ei breuddwyd hi oedd prynu hen gartref Dylan yn Nhalacharn, y Boathouse – neu Dŷ'r Bad – a'i osod e mas am bymtheg punt yr wythnos. Prynu tŷ'r Bad?! Fel y dywedodd un o'r actorion yn y cynhyrchiad, fedrai hi ddim prynu tŷ bach hyd yn oed! Eto i gyd, chwarae teg iddi, roedd y syniad yn un da. Roedd hi am weld y lle yn cael ei rentu mas, i bobol anabl yn arbennig, ac fe apeliodd am gefnogaeth o sawl man, gan gynnwys colegau Prifysgol Cymru, ond ddaeth dim byd o hynny. Cawsom wahoddiad i gefnogi ei hymgyrch i godi'r arian angenrheidiol trwy berfformio yn yr Iseldiroedd, ac wrth gwrs, roeddem i gyd yn awyddus iawn i wneud hynny.

Y tro cyntaf aethon ni draw i'r Iseldiroedd, fe

berfformiwyd y ddrama yn yr awyr agored yn Bloemendaal, yn yr Openluchttheater. Fe gawson ni ein henwi yn y rhaglen fel Welsh Acting Company, gan berfformio ar nos Sadwrn, 30 Awst 1969. Gan fod nifer o'r actorion arferol yn absennol rown i'n chwarae rhannau Rosie Probert, y Bedwaredd Gymdoges a Mrs Willy Nilly yn y cynhyrchiad hwnnw. Roedd y theatr awyr agored yn wirioneddol hyfryd, ac fe gafodd y cwmni aros mewn gwesty crand, felly roedd y profiad yn un hynod.

Lai nag wyth mis ar ôl llwyddiant yr ymweliad cyntaf, roedden ni'n ôl yn yr Iseldiroedd ddiwedd mis Mehefin 1970. Mae'n debyg fod y gwahoddiad hwnnw wedi deillio o awydd Nelly Klugt i glirio'r dyledion yn dilyn trefnu gwesty moethus i'r cwmni ar ein hymweliad blaenorol, ond roedden ni'n fwy na bodlon dychwelyd, ta beth. Y tro hwn, roedden ni'n aros gyda chyfeillion amrywiol i Nelly, ac rwy'n cofio i mi ac Ivy, cyd-actores i mi, fod yn aros gyda menyw oedd yn gweithio yn yr Hague. Digwyddais sylwi fod ganddi stand cerddorol yn ei stafell fyw, a wir i chi, bob nos wedi i mi ac Ivy gilio i'n gwelyau, byddai'r fenyw'n dechrau chwarae ei ffliwt. Roedd sŵn digon hyfryd ar y chwarae, ond roedd Ivy a minnau wedi blino'n ofnadw ar ôl teithio a pherfformio, felly mae'n debyg nad oedden ni'n gwerthfawrogi'r cyngherddau 'anffurfiol' hyn oedd yn mynd 'mlaen am oriau yng nghanol nos!

Ar yr ymweliad hwn, fe wnaethom berfformio yn

Laren, Haarlem ac yn Amsterdam. Ar y noson gyntaf fe gawson ni i gyd dipyn o sioc wrth glywed un o recordiau'r Perlau'n cael ei chwarae dros yr uchelseinydd. Sut ddigwyddodd hynny, does gen i ddim syniad, ond fe sefydlodd hynny batrwm, ac fe gafwyd canu Cymraeg wedyn cyn dechrau pob perfformiad.

Mynd yno'n ddi-dâl oedden ni, wrth gwrs. Roedd rhai'n llwyddo i gyfuno'r daith gyda chymryd gwyliau yno, ac eraill yn cymryd amser bant o'u gwaith a cholli cyflog. Fe deithion ni ar fws i Harwich ac yna dal y llong fferi, a'r ochor draw roedd bws yn ein disgwyl i'n cludo o gwmpas y wlad. Roedden ni'n griw difyr o bob math o bobol: athrawon, cyfrifwyr, gwragedd tŷ, barbwr, adeiladydd, llawfeddyg – roedd yna un wraig oedd yn cadw parlwr cŵn yn Llanelli hyd yn oed.

Yn Laren, fe wnaethon ni berfformio yng Nghanolfan Singer. Lle anferth oedd hwnnw, ond roedd yr adeilad yn orlawn ar gyfer y perfformiad. Yn Haarlem, fe wnaethon ni berfformio yn Theatr y Stadsschouwburg, un o theatrau prydfertha'r byd yn fy marn i, ac yna, yn Amsterdam fe wnaethon ni berfformio mewn pabell gron ger stadiwm clwb pêl-droed Ajax. Fe'i codwyd ar gyfer perfformio *Hair*, y ddrama gerdd enwog a oedd mor boblogaidd, gyda chaneuon fel 'The Age of Aquarius'. Roedd y sioe'n rhedeg yn Amsterdam am tua pum mis, ond fe ildiodd y cwmni un noson o'u rhaglen er mwyn i ni gael perfformio *Under Milk Wood*.

Pan gyrhaeddon ni'r fan honno, fe welson ni fod y llwyfan ar osgo. Roedd e wedi'i gynllunio'n arbennig ar gyfer *Hair*, a cael a chael fu hi i Harri Davies, y rheolwr llwyfan, a'i griw lwyddo i addasu'r llwyfan ar ein cyfer ni. Oni bai am Harri a'r trydanwr ar y pryd, Brin Davies, fyddai'r sioe ddim wedi gallu mynd yn ei blaen, a bu'n rhaid i'r criw cefn llwyfan weithio'n galed iawn.

Er gwaetha'r trafferthion i lwyfannu'r sioe, a'r paratoadau funud olaf, fe gododd pob un o'r gynulleidfa ar ei draed mewn cymeradwyaeth ar ddiwedd y perfformiad. Yn ôl James Gill, cyfarwyddwr *Hair*, dim ond unwaith yr oedd hynny wedi digwydd iddyn nhw, a hwythau'n gwmni proffesiynol. Fe ddywedodd e ar y diwedd i ni, gwmni amaturaidd, ymateb fel criw proffesiynol, ac fe aeth e mor bell â dweud mai hwn oedd y perfformiad gorau welodd e erioed o *Under Milk Wood*. Dyna i chi ddweud mawr. Fe gawson ni sylw yn y wasg ac ar y cyfryngau, gyda Stan Phillips, y prif lais, yn derbyn y ganmoliaeth fwyaf. Wrth gwrs, fel y prif lais, Stan oedd yn clymu holl elfennau'r ddrama at ei gilydd ac roedd arno angen cof aruthrol heb sôn am dalent perfformio.

Roedd, ac mae *Under Milk Wood* yn parhau'n ddrama anodd iawn i'w llwyfannu oherwydd yr angen am set gyfansawdd ar gyfer cartrefi a lleoliadau'r gwahanol ddigwyddiadau. Drama i leisiau yw hi, ac fel drama i leisiau y perfformiwyd hi gyntaf yn Efrog Newydd, gyda

Dylan Thomas ei hun yn cymryd rhan. Doedd hi ddim wedi cael ei chwblhau bryd hynny, ym mis Mai 1953. Dylan oedd yn darllen rhannau'r Llais Cyntaf a'r Parchedig Eli Jenkins, ac roedd y cast yn eistedd o gwmpas bwrdd wrth ddarllen y geiriau. Chwe mis yn ddiweddarach, fe fu farw Dylan Thomas yn 39 oed. Fe'i darlledwyd hi'n llawn am y tro cyntaf ar y radio ddechrau 1954, gyda Douglas Cleverdon yn cynhyrchu, ac wedi hynny y trowyd hi'n ddrama lwyfan.

Bachan o Gastellnewydd Emlyn oedd T H Evans. Roedd e wedi chwarae rhan Eli Jenkins mewn llwyfaniad o'r ddrama yn Llundain, ac fe fu'n chwarae'r un rhan gyda ni yn Nhalacharn wedyn. Pan ffilmiwyd *Under Milk Wood* yn Abergwaun yn y saithdegau, digwyddodd T H alw i weld y ffilmio ac fe gyfarfu â Burton yn ystod toriad yn y ffilmio. Mynnodd hwnnw wedyn fod T H yn cael rhan fach yn y ffilm.

Mae troi drama i leisiau yn rhywbeth gweledol yn dasg anodd i unrhyw un. Mae dros hanner cant o gymeriadau yn y ddrama, ac wrth gwrs, mae hynny'n golygu fod rhaid i lawer o'r actorion chwarae sawl rhan. Roedd hi'n anodd iawn cael yr amseru'n gywir, ond roedd Stan Phillips, fel y prif lais, yn gwybod yn reddfol i ble fyddai'r digwyddiadau'n arwain – roedd yn y lle iawn ar y llwyfan bob tro. Brin Davies fu'n gyfrifol am y set, ac roedd ganddo fe rif ar gyfer pob lleoliad ar y llwyfan ac roedd hynny'n gymorth aruthrol i'r actorion a'r criw goleuo.

Mae'n anodd penderfynu p'un yw fy hoff gymeriad

i – Mrs Willy Nilly, falle, y fenyw fusneslyd honno
sydd wrth ei bodd yn darllen llythyron pobl eraill. Ei
gŵr hi oedd y postmon, ac fe fyddai hi'n stemio
llythyron a'u hagor er mwyn cael gwybod busnes pobl
y pentre cyn adrodd y cyfan wrth ei gŵr. Mae
rhywbeth amdani yn fy atgoffa o gymeriad Anti
Marian – mae honno hefyd â'i thrwyn ym musnes
pawb!

Rwy wedi dod i nabod cymeriadau *Under Milk
Wood* yn dda erbyn hyn, ac rwy'n teimlo eu bod nhw'n
bobol go iawn. Un peth sy'n hyfryd am y ddrama yw
ei bod hi'n ddrama lle nad oes un cymeriad
gwirioneddol ddrwg. Fel y dywedodd Dylan ei hun,
drwy lais y gweinidog, Eli Jenkins:

> We are not wholly bad or good
> Who live their lives under Milk Wood,

neu yn y Gymraeg:

> Nid oes neb drwy'r Wenallt oll
> Yn ôl dy farn yn llwyr ar goll.

Yn ogystal â pherfformio yn y ddrama gyda'r Llaregyb
Players, mae Ernest Evans a finne wedi bod yn
perfformio detholiadau o'r ddrama, yn Gymraeg ac yn
Saesneg, rhwng eitemau gyda Chôr y Mynydd Mawr, a
chael derbyniad gwresog bob amser. Ry'n ni wedi
ymddangos ledled y gorllewin a'r de, o Bont-iets i

Faesteg. Y bwriad oedd dod ag amrywiaeth i'r noswaith gyda'r côr, a chynnig perfformiadau rhwng y darnau cerddorol, gan roi cyfle i'r gynulleidfa fwynhau rhywbeth gwahanol i'r canu yma ac acw. Wrth gwrs, mae yna gymaint o rannau 'parau' yn y ddrama fel bod yna ddarnau addas iawn ar gyfer Ernest a finne.

Gan ein bod ni'n perfformio'n ddwyieithog, roedden ni'n dueddol o rannu'r cymeriadau yn Gymry Cymraeg a Chymry di-Gymraeg. I ni, Saeson yw Mr a Mrs Cherry Owen, er enghraifft. Mae e'n feddwyn mawr, a dyw'r Cymry Cymraeg ddim yn meddwi, ydyn nhw?! Saeson hefyd yw Mrs Ogmore-Pritchard a'i dau ŵr. Mae hi'n dipyn o snob. Cymro Cymraeg yw'r Parchedig Eli Jenkins, wrth gwrs. A Chymry yw Mr a Mrs Organ Morgan. Un o'r darnau hyfrytaf yn y fersiwn Gymraeg yw'r ddeialog rhwng y Capten a Rosie Probert, ac mae Ernest a finne wedi cyflwyno'r ddeialog honno droeon. Mae Rosie, gwir gariad y Capten, wedi marw. Mae e'n breuddwydio, a hithau'n siarad ag ef o'r bedd. Mae e'n ddarn tyner, telynegol, hynod o drist. Myn rhai arbenigwyr fod addasiad Jim Parcnest yn well na'r gwreiddiol mewn mannau. Mae hynna'n ddweud mawr, ond mae'r ddeialog honno yn sicr ymhlith darnau mwyaf llwyddiannus yr addasiad.

I mi, y perfformiadau cyflawn yn Nhalacharn oedd yr hwyl gorau bob amser. Roedd yna lawer o gymdeithasu yno ar ôl perfformio, yn y Browns Hotel a mannau eraill, a rhai yn gor-wneud pethe o dro i dro. Doedd hynny ddim yn rhy ddrwg ar ôl perfformio –

ond y rhai oedd yn ei gor-wneud hi *cyn* y perfformiadau oedd y broblem! Rwy'n cofio un cymeriad, na wna i mo'i enwi, wedi cael ychydig yn ormod cyn mynd ar y llwyfan. Roedd angen dau gymeriad arall i'w gynnal e o'r tu ôl tra oedd e'n cyflwyno'i linellau o ben mainc, ond wnaeth neb sylweddoli, ac fe ddaethon ni i gyd trwyddi!

Aeth llawer o'r actorion a ymddangosodd yn y fersiwn wreiddiol a'r trosiad Cymraeg ymlaen i wneud enw iddynt eu hunain. Dyna i chi Sulwyn Thomas, a oedd yn chwarae rhan Syr Wili Watsh, Sharon Morgan (Mae Rose Cottage), Alwyn Jones (Capten Cat) – fe oedd Herbert Gwyther wedyn yn *Pobol y Cwm*. Roedd Vicky Plucknett, a hithau ond yn groten ifanc, yn chwarae rhan dawnswraig yn y ddrama, a'i mam, Dulcie, yn chwarae rhan Mrs Pugh. Mr Pugh oedd Lyn Ebenezer. Roedd Ernest Evans yno, wrth gwrs, yn chwarae nifer o rannau ac Anita Williams oedd Poli Gardis. T James Jones, y cyfieithydd ei hun, oedd un o'r lleisiau yn *Dan y Wenallt* a Peter John oedd Dai Bara. Roedd Edna Bonnell yn chwarae rhan Mrs Dai Bara Gwyn, a Brin, ei gŵr, yn chwarae rhan Mog Edwards. Pâr priod arall yno oedd Glyn Elis (Mr Ogmore) a'i wraig Wendy (Mrs Dai Bara Brown).

Un arall oedd i fod yn rhan o gast *Dan y Wenallt* ar un adeg oedd Gillian Elisa, ac oni bai i ffawd ymyrryd, fe fyddai'r ddwy ohonom wedi cael cyd-actio rai blynyddoedd cyn cwrdd ar *Pobol y Cwm*. Fel y dywedais i, fe gollais i'r cyfle i fod yn rhan o lwyfaniad

cyntaf o'r ddrama am fod Rhodri'n fabi, ond fe ges i'r
cyfle i berfformio ynddi wedyn, ac wedi i Jim Parcnest
olynu Gwynne D Evans fel cynhyrchydd *Dan y Wenallt*
fe gafodd Gillian wahoddiad ganddo i chwarae rhan yn
y ddrama. Roedd e wedi'i gweld hi ar lwyfan yn
Llambed pan oedd hi'n ddisgybl ysgol yno, ac wedi
cael argraff ffafriol iawn o'i dawn perfformio. Yn
anffodus, collodd Gillian ei mam – ergyd galed i
unrhyw ferch ifanc – a bu'n rhaid iddi golli'r cyfle i fod
yn rhan o'r cynhyrchiad hwnnw. Petai ffawd wedi bod
yn garedicach, fe fydden ni'n dwy wedi cael bod yn
ffrindiau yn llawer cynharach.

* * *

Man sydd wedi chwarae rhan bwysig yn fy mywyd i –
o ran y ddrama a chyn hynny – yw Abertawe. Pan own
i'n blentyn adeg y Rhyfel rwy'n cofio awyrennau'r
Luftwaffe yn hedfan dros Gwm Gwendraeth ar eu
ffordd i fomio'r dre. Ie, tre oedd hi bryd hynny. Pan
fyddai'r awyrennau'n dynesu, a'u grwnian nhw'n
llenwi'r awyr, fe fyddai hwter y gwaith yn canu –
dyna'r unig adegau iddo wneud hynny ar wahan i ganu
i nodi dechrau a diwedd shiffts a chyhoeddi damwain
yn y gwaith. Funudau wedi i'r awyrennau basio, fe
fyddwn i'n rhedeg i'r ffenest yng nghefn y tŷ ac yn
gwylio'r awyr yn cochi tua'r de.

Rwy'n cofio pan fyddwn i'n mynd i Abertawe adeg
y Rhyfel, fe fyddwn i'n rhyfeddu at y *barrage balloons*

oedd yn hongian uwchlaw'r ddaear ar gyfer cadw awyrennau'r Almaenwyr i ffwrdd. Porthladd Abertawe oedd y mwyaf gorllewinol o borthladdoedd mawr Prydain, ac oherwydd y bwyd a'r nwyddau pwysig eraill oedd yn cyrraedd yr harbwr roedd y lle'n darged amlwg i awyrennau'r Almaenwyr. Fe ddioddefodd y dre dros ddeugain o gyrchoedd bomio rhwng 1940 a 1943, ac ym mis Chwefror 1941 fe ymosodwyd ar y dre am dair noson yn olynol. Fe wastodwyd canol y dref ac fe laddwyd llawer.

Er na wnaethon ni ddioddef fel y gwnaeth Abertawe, fe adawodd y Rhyfel ei ôl ar Gwm Gwendraeth hefyd. Fe ollyngod un o awyrennau'r Almaen fom ar dip glo Cwm Mawr, ond wnaeth hi ddim ffrwydro. Roedd awyrennau *Spitfire* yn ei hymlid hi, ac fe wnaeth hi ollwng y bom er mwyn ysgafnhau'r llwyth a cheisio dianc. Ni chollwyd cymaint o fechgyn ifanc yma ag a wnaed mewn ardaloedd eraill gan mai gweithwyr glo oedd y mwyafrif helaeth o fechgyn yr ardal, ac roedd glowyr mor allweddol i ymdrechion y Rhyfel fel eu bod nhw'n cael eu hesgusodi rhag mynd i'r fyddin.

Yn ddiweddarach fe ddaeth Abertawe'n atynfa i fi fel canolfan siopa. Dyna oedd y lle i fynd os oeddech chi am fod yn ffasiynol, ac fe ddaeth y lle'n bwysig i mi fel actores pan wnes i ymuno â'r Gymdeithas Ddrama Gymraeg. Roedd Glyn a Wendy Elis yn ddau actor gweithgar iawn yn ein cwmni ni pan fydden ni'n perfformio *Under Milk Wood* a *Dan y Wenallt*, ac roedden nhw ymhlith hoelion wyth Cymdeithas

Ddrama Abertawe hefyd. Fe fues i'n rhan o'r Gymdeithas honno am flynyddoedd. Brin wnaeth fy mherswadio i fod yn rhan o'r fenter honno hefyd – fel petawn i ddim yn ddigon prysur fel own i! Fe gychwynnais i drwy gamu mewn i lenwi bwlch. Fe fu farw gŵr yr actores wreiddiol yn un o'r dramâu yn sydyn, ac fe wnes i gymryd ei lle. Wyddwn i ddim y byddai hynny'n golygu y byddwn i yno bob blwyddyn am flynyddoedd lawer!

Fe fydden ni'n llwyfannu dwy ŵyl ddrama bob blwyddyn, adeg y Pasg a hanner tymor yr hydref. Y rheswm am hyn oedd bod cymaint o athrawon yn perthyn i'r Gymdeithas, felly roedd angen ymarfer a pherfformio adeg gwyliau ysgol, a phan ddechreuais i roedd tair drama tair-act yn cael eu llwyfannu ym mhob ŵyl. Yn y dyddiau hynny, roedd hi'n bosibl i ni wneud hynny gan fod ganddon ni gymaint o actorion, ond nawr mae hi'n anodd cael digon o actorion i berfformio un ddrama.

Yn anffodus, yr un yw'r stori ledled Cymru. Mae'n hawdd twt-twtio wrth weld cwmnïau drama yn edwino, ond rhaid edrych ar y cynulleidfaoedd hefyd. Ble mae'r rheiny y dyddiau hyn? Heb gynulleidfa, does dim pwrpas llwyfannu drama a does dim byd yn fwy diflas na pherfformio o flaen neuadd sydd ond yn chwarter llawn.

Un digwyddiad diddorol yn y Grand – yr hen Grand, gyda llaw – oedd y noson honno pan waeddodd rhywun i fyny'r grisiau fod ymwelydd eisiau 'ngweld i. Rown i yn y stafell newid ar y pryd, ac yn ffaelu deall pwy allai fod yno gan nad oeddwn wedi trefnu cwrdd â neb. Fe fentrais i i lawr y grisiau a gweld y fenyw ddieithr yma'n edrych lan arna i, menyw fach gwallt llwyd oedd yn gwisgo sbectol, a gwên fawr ar ei hwyneb. Fe es i draw ati, yn barod i'w holi pwy oedd hi, a dyma hi'n gosod ei llaw ar fy ysgwydd i a dweud, gyda balchder, 'Ry'ch chi a fi yn fam i'r un bachan.' Gymerodd hi eiliad neu ddwy i mi ddeall beth oedd ganddi. Mam Dewi Pws oedd hi, Ray Morris. Hi oedd ei fam go iawn e, wrth gwrs, ac erbyn hynny roeddwn i'n actio'i fam e yn *Pobol y Cwm*. Yn anffodus, dyna'r unig dro i mi gwrdd â hi, ond gallwn weld ar unwaith ei bod hi'n dipyn o gymeriad ac yn fenyw hyfryd.

* * *

Rwy wedi chwarae rhannau gwahanol iawn gyda Chymdeithas Ddrama Abertawe dros y blynyddoedd. Fi oedd Blodwen yn *Hywel a Blodwen* gan Huw Roberts, ac yna fi oedd Gwenhwyfar yn *Pont Robat* gan yr un dramodydd; Del wedyn yn *Ararat* gan T James Jones; Capten Harriet yn y ddrama o'r un enw gan John Griffiths; Nansi Owen yn *Pan Ddaw'r Clown* gan John Griffith Jones; Annie Mary yn *Angladd i Bawb* gan Gwynne D Evans, a Marged Ann yn *Castell Martin* gan D T Davies.

O ran cyfieithiadau ac addasiadau, fe chwaraeais i ran Frances Morgan yn *Yr Inspector*, cyfieithiad o *An*

Inspector Calls gan J B Priestley; Mrs Terence yn *Pan Ddaw'r Nos*, addasiad o'r ddrama arswyd *Night Must Fall* gan Emlyn Williams; Thirzy Bevan yn *Gwraig y Ffermwr*, cyfieithiad gan D Mathew Williams o ddrama Eden Phillpotts, *The Farmer's Wife*; Beti Charles yn *Hir Pob Aros*, addasiad o ddrama gan Bill Naughton wedi'i chyfieithu gan Degwel Owen; a Jane yn *Ar Ddamwain*, addasiad Gari Nicholas o *Beyond a Joke* gan Derek Benfield. Ac ydyn, fel rhaglenni *Neuadd y Cross*, mae rhaglenni cynyrchiadau'r Grand yn ddiogel yn y ddrôr hefyd!

Fe sefydlwyd y Gymdeithas 'nôl yn 1919, ond mae hanes y ddrama yn Abertawe yn mynd yn ôl lawer ymhellach na hynny. Roedd y ddinas – neu'r dre bryd hynny – yn ganolfan naturiol i weithgareddau llwyfan, ac os darllenwch chi hanes y ddrama yn y cylch fe welwch chi fod y maestrefi yn llawn bywiogrwydd. Roedd cwmni opera'n bodoli yn Llansamlet a Sgiwen yn y bedwaredd ganrif ar bymtheg. Roedd yna gwmnïau drama ym Mhontardawe, y Glais, Clydach a Phlas-marl, ym Mhontarddulais, Llanelli, Gwaun-caegurwen a Threforys. Yn Abertawe 'i hun ceid perfformiadau rheolaidd yn Neuadd Albert.

Mae nifer o actorion a gychwynnodd ar lwyfan y Grand wedi mynd yn eu blaen i fod yn actorion proffesiynol, pobol fel Glanffrwd James, Huw Ceredig, Olwen Medi a Marion Fenner, ac actorion o'r to iau fel Steffan Rhodri a Catherine Treganna. Mae Steffan Rhodri yn fab i Glyn a Wendy ac yn actor arbennig o dda, un a gychwynnodd yn lleol fel ei rieni, ond a aeth ymlaen i wneud enw iddo'i hun ledled gwledydd Prydain.

Un o'r colledion mwyaf a gafodd y Gymdeithas Ddrama yn Abertawe fu colli Glyn Elis ym mis Tachwedd 2005. Roedd e newydd gynhyrchu un o'i ddramâu ac ychydig a feddyliai neb mai honno fyddai ei ddrama olaf. Y flwyddyn ganlynol, rhoddodd llawer o'r ffyddloniaid y gorau iddi a bu parhad y Gymdeithas yn y fantol, ond llwyddwyd i gynnal llwyfaniad yn 2006 yn Eisteddfod Genedlaethol Abertawe pan gynhyrchodd Griff Williams y ddrama *Dedwydd Briodas*, cyfieithiad Mari Lewis o ddrama J B Priestley, *When We Are Married*. Fe lwyfannwyd teyrnged haeddiannol i Glyn yn Eisteddfod Abertawe.

Sefydlwyd y Gymdeithas Ddrama yng ngwesty'r Metropole mewn cinio mawr lle roedd Howard de Walden yn Llywydd. Bu'n rhaid rhoi'r gorau i'r gweithgareddau dros gyfnod yr Ail Ryfel Byd ond ailgychwynnwyd y gymdeithas yn 1950.

Daeth y cysylltiad rhwng y Gymdeithas a'r Grand i ben yn 1983 a chafwyd cartref newydd i'r gymdeithas yn Theatr Taliesin o fewn adeiladau'r brifysgol yn Abertawe yn 1984. Roedd cynnal perfformiadau yn y Grand yn mynd yn gostus iawn ac roedd y cynulleidfaoedd wedi dechrau edwino hefyd. Ymatebodd y Gymdeithas i hynny drwy roi'r gorau i'r perfformiadau *matinée* ar ddydd Sadwrn ond parhaodd y brwdfrydedd gyda Caradog Evans, Glyn Elis a Gari Nicholas ymhlith yr hoelion wyth. Erbyn 1994, mae'n debyg fod y Gymdeithas wedi llwyfannu cymaint â 150 o ddramâu.

Mae'n dristwch mawr fod y Gymdeithas nawr yn ei chael hi'n anodd denu actorion newydd. Y llynedd, am y tro cyntaf erioed, doedd ganddyn nhw ddim cynhyrchiad ar gyfer y gwanwyn. Y bwriad nawr yw canolbwyntio ar un ddrama'r flwyddyn, a'i llwyfannu tua hanner dwsin o weithiau mewn theatr lai. Mae'n bosibl hefyd y cawn ni weld perfformio dramâu un act a chyflwyno adloniant cyffredinol yn yr ardal hefyd, gan gydweithio â chymdeithasau lleol eraill. Syniad arall yw cynnal gweithdai ar gyfer hyfforddi cyfarwyddwyr, gyda chyfarwyddwyr proffesiynol yng ngofal yr hyfforddiant. Mae'n bosibl y cynhelir gweithdy dau-ddiwrnod a chastio ar gyfer llwyfannu drama un act.

Mae'n dda gweld fod yna gynlluniau pendant i geisio adfer y sefyllfa, ac mae yna obaith pendant, gyda Griff Williams, un arall o'r ffyddloniaid, wedi'i ethol yn llywydd gweithgor newydd i geisio ailgodi'r Gymdeithas ar ei thraed.

* * *

Ar ôl dros ugain mlynedd o fod yn rhan o gwmnïau lleol, fe ddechreuais i gael ambell ran mewn rhai cynyrchiadau teledu. Roeddwn yn dal i ddysgu yn ystod y tymor, ond llwyddais i gyfuno hynny gyda ffilmio ambell raglen megis *Epilog*, gyda Carol Byrne Jones yn cyfarwyddo. Fe ges i ran mewn ffilm HTV hefyd, sef *Bydd yn Wrol,* a oedd yn cael ei ffilmio i lawr ym Mhendyrys yn y Rhondda.

Terry Dyddgen-Jones, un o brif gynhyrchwyr Coronation Street erbyn hyn, fu'n gyfrifol am roi'r rhan i fi yn *Bydd yn Wrol*. Ymhlith cast *Bydd yn Wrol* roedd Matthew Rhys, a'r actorion eraill oedd Menna Trussler, Islwyn Morris, Marlene Griffiths, Daniel Evans a Griff Williams. Fe gawson ni noson fawr yng Nghaerdydd i lansio'r ffilm ac fe enillodd wobr BAFTA Cymru am ffilm orau 1997, yn ogystal â chipio'r wobr am yr actor gorau i Matthew.

Wrth i mi ffilmio *Bydd yn Wrol* y daeth gwahoddiad i fi actio yn y ffilm *Twin Town*. Does gen i ddim asiant, ond fe aeth Kevin Allen, y cyfarwyddwr, i swyddfa Equity yng Nghaerdydd i chwilio drwy'r ffeiliau am rywun addas ar gyfer y rhan. Yno mae lluniau holl aelodau undeb Equity, ynghyd â manylion personol fel profiad ac oedran. Fe ffoniodd e fi, ac er mawr sioc i mi, fe ges i'r rhan.

Kevin, sy'n frawd i'r actor Keith Allen, oedd yn gyfrifol am ysgrifennu llawer o'r ffilm ar y cyd â Paul Durden. Fi oedd yn chwarae rhan Mrs Mort, a Ronnie Williams oedd yn chwarae rhan Mr Mort. Disgrifiwyd y ffilm fel Trainspotting Cymru, gyda'r digwyddiadau yn Abertawe, er mai ym Mhort Talbot y gwnaethon ni lawer o'r ffilmio. Dw i ddim yn hoffi'r gymhariaeth â *Trainspotting*. Mae *Twin Town* yn ddigon cignoeth, ond mae *Trainspotting* yn ffiaidd. Mae honno, i fi, yn fochaidd.

Comedi dywyll yw *Twin Town*, a chefndir y stori yw'r gwrthdaro rhwng y teuluoedd Lewis a Cartwright. Mae dau o blant y Lewisiaid yn efeilliaid (Rhys a Llŷr Ifans) ac maen nhw'n byw ar gyffuriau ac ar ddwyn ceir. Mae eu tad, Fatty Lewis (Huw Ceredig), yn torri ei goes wrth wneud jobyn ar ben to'r clwb rygbi i Bryn Cartwright (Wil Thomas), prif ddyn drwg yr ardal. Mae hwnnw'n gwrthod talu iawndal i Fatty, felly mae'r efeilliaid yn dial ar Cartwright a'i bobol tra bod hwnnw'n taro'n ôl.

Fel Mrs Mort, sy'n bensiynwraig, fi sy'n gwerthu llawer o'r cyffuriau i'r bois. Diazepam, fel arfer – stwff yr oedd Mrs Mort wedi'i gael yn y syrjeri ar gyfer Mr Mort. Dyna i chi beth oedd rhan i fenyw fel fi, sy'n mynd i'r capel bob dydd Sul!

Roedd y cymeriad yn mynd ati wedyn i werthu'r tabledi i'r efeilliaid am wyth bunt y dwsin. Roedden nhw hefyd yn gofyn i fi am fadarch hud. Roedd gen i linell eitha doniol sy'n dal ar fy nghof: 'The magic mushrooms, I sprinkle on Charlie's fish fingers. He gets good relief on them.' Charlie oedd enw cyntaf Mr Mort ac roedd ganddon ni gi o'r enw Cantona – ci oedd yn chwarae rhan allweddol yn y dial sy'n rhan o'r stori. Flynyddoedd wedyn, fe ddaeth perchennog y ci ag e draw i set *Pobol y Cwm* i fod yn gi anwes i Hywel Emrys yn y garej, a wir i chi, dwi'n siŵr i'r hen gi fy nabod i ar ôl bod gyda fi yn *Twin Town*.

110

O ran y saethu, Ronnie a fi a Rhys a Llŷr oedd gyda'n gilydd fwyaf, ac fe ddaethon ni 'mlaen yn dda 'da'n gilydd oddi ar y set hefyd. Mae Rhys a Llŷr yn ddau fachgen bonheddig. Pan gerddais i mewn y tro cynta gwrddon ni, fe gododd y ddau ar eu traed fel un a chynnig eu seddi. Dyw pobol ifainc heddiw ddim yn gwneud hynna. Ac am Ronnie, wel, roedden ni'n hen ffrindiau wrth gwrs. Mae 'na lawer sydd wedi cyfeirio at broblem yfed Ronnie, ac mae rhai yn dal i wneud hynny, ond fe alla i ddweud, â'm llaw ar fy nghalon, na wnaeth e gyffwrdd â diferyn o alcohol tra buon ni'n saethu'r ffilm. Rwy'n cofio bod lan yng Nghlwb Rygbi Bon-y-maen, a ninnau'n cael seibiant o'r ffilmio.

'Beth wyt ti'n moyn?' medde fi.

'Peint o lemonêd,' medde fe.

Rown i'n meddwl mai jocan oedd e. Ond na, wnaeth e ddim cyffwrdd ag alcohol tra buon ni'n gweithio ar y ffilm. Rown i, cofiwch, yn cael jin a tonic, ond lemonêd oedd Ronnie'n yfed bob tro.

Er gwaetha natur y ffilm, yn rhyfedd ddigon, chlywais i ddim gair o regi ar y set. Roedd pobl yn ofalus i beidio â rhegi o'm blaen i falle, ond mae hynny'n berffaith wir. Rwy'n cofio hefyd i mi gael cais funud olaf i addasu'r sgript ac i regi'n ddifrifol mewn un olygfa, a finnau'n ceisio egluro i'r cyfarwyddwr pam na allwn i wneud hynny a finnau'n fenyw capel a chwbl!

Ar ddiwedd y cyfnod saethu fe ges i siaced law i gofio am y cynhyrchiad gyda'r geiriau *Ambition is*

Critical ar ei chefn hi. Cot dyn yw hi, ac er y dylai hi fod wedi cael mwy o barch gen i falle, mae hi wedi bod yn handi i Elwyn fynd â'r ci am wâc. Doedden nhw ddim yn talu lot am y ffilmio, ond fe wnaethon nhw drefnu parti mawr i ni, a bwnsh o flodau a siampên i bob un o'r menywod.

Cafwyd *première* i'r ffilm yn Abertawe, a dangoswyd y ffilm am y tro cyntaf mewn pump sinema ar unwaith yn yr un ganolfan yn Abertawe. Roedd aelodau'r cast yno, yn gymysgedd o bobol enwog a wynebau newydd. Dyna i chi Dougray Scott, actor sydd wedi mynd yn ei flaen i fod yn seren yn Hollywood wedyn, a Rhys a Llŷr Ifans, Huw Ceredig, Brian Hibbard, Steffan Rhodri, Nic McGaughey, Morgan Hopkins, Wil Thomas, Sue Roderick, Helen Griffin a Gillian Elisa. Roedd hi'n neis cael bod yn ôl gyda Gillian, gan mai hi oedd yn actio merch i mi yng Nghwmderi yn 1974, wrth gwrs. Un arall oedd yno oedd Boyd Clack, awdur *High Hopes*.

Hon oedd yr unig ffilm wedi'i hanelu'n arbennig at y sinema i mi fod yn rhan ohoni erioed. Rhan weddol fach oedd gen i yn *Twin Town*, ond roedd hi'n rhan ddiddorol a jiw, fe gawson ni sbri! Fe drefnwyd parti wedi'r première mewn clwb nos, ond doedd Elwyn a finne ddim yn awyddus i fynd i rywle fel'ny. Fe aethon ni am bryd o fwyd gyda dau ffrind yn lle hynny

Nid pawb oedd wedi joio, cofiwch. Fe ddaeth rhyw hen wraig fach o Abertawe i weld y dangosiad cynta, ac fe aeth hi adre toc wedi i'r ffilm ddechrau! Fe gerddodd hi mas am iddi gael ei siomi'n fawr yn yr iaith aflednais sy'n britho'r ffilm. Ar ôl dim ond chwarter awr o wylio, fe fynnodd hi gael ei harian yn ôl. 'Own i ddim yn gwybod mai ffilm yn llawn o iaith front oedd hi,' medde hi. 'Own i'n meddwl mai ffilm am efeillio Abertawe a rhywle arall oedd hi.'

Ond beth bynnag am farn y wraig honno, mae'r ffilm wedi troi yn gwlt. Lawr yng Ngŵyl Talacharn y llynedd fe gynhaliwyd noson ar *Twin Town*, a dyna un o'r nosweithiau gorau i fi erioed fod ynddi. Yno rown i gyda Rhys a Llŷr, Huw Ceredig, Kevin Allen, Brian Hibbard, Sue Roderick, Helen Griffin a Wil Thomas. Roedd Keith Allen yno hefyd, er mai rhan fach oedd ganddo fe yn y ffilm – roedd e'n chwarae cymeriad oedd lan ar y mynydd yn borcyn gyda dafad. Dduw mawr! Beth own i'n ei wneud yn y fath ffilm, dywedwch?! Roedd y noson yn Nhalacharn yn anhygoel. Roedd pobol yn y gynulleidfa'n gwybod y leins i gyd ac yn eu gweiddi nhw mas, a phan ddwedes i'n lein i am y Diazepam, fe ffrwydrodd y lle. Doedd gen i ddim syniad fod y ffilm wedi cydio gymaint yn nychymyg pobol.

Mae *Twin Town* wedi denu ymateb mwy syfrdanol nag a wnaeth yr un ffilm neu ddrama arall y bues i'n rhan ohonyn nhw. Rwy'n ffaelu mentro i mewn i Tesco yn Fforest-fach. Dim ond i fi ddangos fy mhen, maen nhw'n dechrau gweiddi, yn enwedig y rhai sy'n llenwi'r silffoedd: 'Mae hi yma! Mrs Mort! Mae hi yma! Dewch i ni gael gair â hi!' Wir i chi, rwy'n gorfod cadw draw erbyn hyn.

Rwy'n cael ymateb hefyd oherwydd *Pobol y Cwm*, cofiwch. Fe aeth Elwyn a finne lawr i arddangosfa ym Milffwrd yn ddiweddar, ac rown i wir yn meddwl na fyddai neb yn fy nabod i fan hyn a bod gobaith am noson fach dawel. Saeson oedd yna fwyaf, beth bynnag. Wrth i ni gael pryd o fwyd fe sylwais i fod y fenyw 'ma'n edrych arna i drwy'r amser ac fe feddylies i'n siŵr mai ffansïo fy siaced i oedd hi.

'Rwy'n eich nabod chi,' medde hi, yn Saesneg.

'Odych chi?' medde fi. 'O ble? O *Twin Town*, falle?'

'Na,' medde hi, 'o *Pobol y Cwm*. Rwy'n dysgu Cymraeg, ac yn eich gwylio chi ar y teledu bob nos.'

'Da iawn chi,' medde fi'n gwrtais, ond petawn i'n onest, fe ges i fymryn o siom nad wedi ffansïo fy nghot i oedd hi!

114

3.
CWMDERI

Rown i'n ddeugain oed yn ymuno â *Pobol y Cwm* yn ystod hydref 1974. Dyna oedd fy nghyfle cyntaf i fod yn actores broffesiynol ar ôl blynyddoedd o droedio llwyfannau. Un funud rown i'n actio mewn cynyrchiadau amatur ledled Cymru a'r funud nesaf, rown i â rhan yn *Pobol y Cwm*. I drosi hen ddywediad Saesneg, fe gefais i lwyddiant dros nos – ond fe gymerodd ddeugain mlynedd cyn iddo ddigwydd!

Mae llawer o wir hefyd yn yr hen ddywediad arall hwnnw mai bod yn y man iawn ar yr adeg iawn sy'n bwysig. Mae e'n wir amdana i, yn sicr. Fel y gwnes i nodi'n gynharach, cael rhan yn *Priodas Dda*, drama gomisiwn Eisteddfod Genedlaethol Caerfyrddin yn 1974, oedd yr allwedd agorodd y drws proffesiynol. Roedd Gwynne D Evans yn ganolog i'r digwyddiad – ef oedd awdur *Priodas Dda*, ac erbyn hynny, ef hefyd oedd un o'r prif bobl y tu ôl i fenter *Pobol y Cwm* – ond yn yr achos hwn, presenoldeb John Hefin, cynhyrchydd yn yr adran ddrama yn y BBC, oedd y ffactor bwysicaf. Sgwrs â John ar ddiwedd y perfformiad arweiniodd at gael cynnig gwrandawiad. Rwy wedi meddwl llawer beth fyddai trywydd bywyd i mi petai John Hefin heb fod yn bresennol y noson honno.

Roedd *Priodas Dda* yn torri tir newydd yn hanes y

ddrama Gymraeg, gan ei fod e'n llwyfaniad ar y cyd gan ein cwmni amatur ni a Chwmni Theatr Cymru. Y cwmni proffesiynol oedd yn gyfrifol am yr agweddau technegol ac fe lwyfannwyd y ddrama mewn dull gwahanol i'r arfer hefyd gan ei bod hi ar ffurf theatr gylch. Roedd hyn yn brofiad dieithr iawn i fi ac yn rhywbeth eitha newydd yng Nghymru. Yn hytrach na wynebu'r gynulleidfa ar lwyfan roedden ni, fel cast, yn perfformio yn y canol a'r gynulleidfa o'n cwmpas, tebyg iawn i dalwrn ymladd ceiliogod. Golygai hynny y byddem â'n cefnau tuag at ran helaeth o'r gynulleidfa gydol y perfformiad ac roedd angen bod yn ymwybodol o hyn. Byddai Brin yn pregethu, 'Cofiwch eich bod chi'n troi digon. Mae'r rhai sy'n edrych ar eich cefnau chi wedi talu am ddod mewn hefyd!'

Roedd Gwynne wedi seilio'r ddrama ar y rhaglen deledu *Siôn a Siân*, gan ddefnyddio dau deulu hefyd, teulu'r priodfab a theulu'r briodasferch. Yn y ddrama, Ernest Evans oedd Siôn a fi oedd Siân, a gweddill y cast oedd Ruth Parri, Gwylfa Powell, Ivy Jones, Glyn a Wendy Elis, a Gwenda Davies.

Fe ddigwyddodd pethe'n gyflym iawn. Rown i'n actio yn *Priodas Dda* ar ddechrau mis Awst, yna, diolch i John Hefin, fe ges i wrandawiad yng nghartref Gwynne yn fuan wedi hynny ac er mawr syndod i fi, dyma gael cynnig rhan Bet Harries. Yn gymysg â'r syndod, fe ges i gryn ofn hefyd. Rown i'n mynd i fyd cwbl newydd a dieithr. Rwy'n cofio i mi geisio perswadio Gwynne i roi rhan i fy ffrind Ivy hefyd, fel y byddai gen i gwmni, ond doedd dim rhan addas yn mynd ar y pryd, felly fe fethais i yn hynny o beth.

Roedd y bennod gyntaf o *Pobol y Cwm* i gael ei darlledu am 7.10 o'r gloch nos Fercher, 16 Hydref 1974, ac ar ôl yr holl gyhoeddusrwydd roedd Cymru gyfan yn disgwyl yn eiddgar amdani. Y geiriau cyntaf i'w hynganu, yn dilyn y teitlau oedd, 'Bore da, Maggie Mathias' yn y swyddfa bost a'r siop. Charles Williams, neu Harri Parri lefarodd y geiriau.

Roedd y wasg Gymraeg a Saesneg wedi bod yn llawn o hanesion am yr opera sebon Gymraeg newydd yma. Roedd *Coronation Street* yn denu'r miliynau a nawr roedden ni'r Cymry Cymraeg i gael ein hopera sebon ein hunain.

Breuddwyd Owen Edwards oedd y gyfres newydd, gyda John Hefin a Gwenlyn Parry wrth y llyw. Aethpwyd ati i ddewis panel o awduron, ar rheiny'n enwau mawr ar y pryd – Marion Eames, Rhydwen Williams, Tom Richards, Harri Pritchard Jones, Huw Roberts a Gwynne D Evans. Gwenlyn Parry oedd y goruchwyliwr, fel petai, ac ef fu'n gyfrifol am ysgrifennu'r bennod gyntaf. Fe ffurfiodd Gwenlyn bartneriaeth lwyddiannus iawn wedyn gyda Rhydderch Jones, â'r gyfres *Fo a Fe* ymhlith ffrwyth eu partneriaeth. Fe fu Rhydderch hefyd yn cyfarwyddo *Pobol y Cwm*, er na chefais i'r profiad o weithio gydag ef. Rhwng popeth felly, roedd yr enwau mawr i gyd wedi'u dewis ar gyfer y gyfres.

Ychydig feddyliodd hyd yn oed y cefnogwyr selocaf

ar y pryd y gwnâi'r gyfres dyfu i fod yr hwyaf yn hanes y BBC ledled gwledydd Prydain, ac y byddai hi'n dal i fynd 35 mlynedd yn ddiweddarach. Dim ond 19 wythnos oedd hi i fod i bara, a hynny unwaith yr wythnos; yna, fe anelwyd at 30 pennod ac fe gomisiynwyd ail gyfres cyn i'r gyntaf orffen. Fe aeth hi o nerth i nerth. Erbyn mis Medi 1988, dechreuwyd ei darlledu bum gwaith yr wythnos, ymhell cyn i *EastEnders* wneud hynny.

Oedd, roedd yna ddisgwyl mawr amdani, ac i ni yng Nghwm Gwendraeth roedd yna fwy o ddisgwyl nag yn unman. Roedd cyfresi blaenorol wedi'u lleoli mewn mannau niwtral, ddim yn y gogledd na'r de. Doedden nhw ddim yn perthyn i unman, ond nawr roedd cyfres i'w lleoli mewn man arbennig – Cwm Gwendraeth. Cofiwch, wedi i'r gyfres ddechrau, roedd rhai yn gweld rhywbeth yn hurt mewn cael cymaint o Gogs mewn pentre yn y de orllewin.

Rwy'n cofio'n dda, wythnos cyn dangos y bennod gyntaf, y *Radio Times* yn cyhoeddi mai Cwm Gwendraeth fyddai'r lleoliad gyda'i weithie glo, rygbi, criced a chorau meibion ac rwy'n cofio Gwynne D Evans yn cael ei ddyfynnu. Fe ddisgrifiodd e'r ardal fel un oedd wedi cadw'i Chymreictod a'i diwylliant arbennig, ardal a gynhyrchodd ddigon o gymeriadau i greu unrhyw ddrama. Ac roedd e'n iawn.

Roedd Gwynne yn berffaith, wrth gwrs, ar gyfer llywio storïau'r gyfres. Roedd e wedi'i eni a'i fagu yn y fro ac wedi bod yn dyst i'r newid mawr oedd wedi

118

digwydd yn gymdeithasol ac yn ddiwydiannol, ac a oedd yn parhau i ddigwydd ar y pryd. Yn y pentrefi o fewn y cwm roedd bywyd yn troi o gwmpas y capel a'r dafarn, y clwb rygbi a'r côr meibion, ac roedd Gwynne yn gyfarwydd iawn â'r bywyd hwnnw.

Roedd dyfodiad *Pobol y Cwm* o ddiddordeb arbennig i fi gan fod Ernest Evans, hen gyfaill a chyd-actor lleol a oedd yn byw lan yr hewl, wedi cael rhan ynddi fel PC Jenkins. Rown i'n hynod o falch dros Ernest, ond feddyliais i 'rioed y cawn i ran yn y gyfres.

Pan ges i wahoddiad i wrandawiad yng nghartre Gwynne D Evans, mae'n rhaid bod y penodau agoriadol eisoes wedi'u hen baratoi a'u bod nhw'n barod bellach i ehangu nifer y cymeriadau. Ar gyfer y bennod gyntaf roedd yna ddeg cymeriad – Bella (Rachel Thomas) Maggie Post (Harriet Lewis) a Harri Parri (Charles Williams), sef y tri mawr. Gyda nhw roedd Cliff a Megan James o'r Deri Arms (Clive Roberts a Lis Miles), Metron Howells (Dilys Davies), Nyrs Jenni (Menna Gwyn), Dai Tushingham (Islwyn Morris), y Parchedig T L Thomas (Dic Hughes) a Jacob Ellis (Dillwyn Owen).

Hyd hynny, teitl gweithredol y gyfres oedd 'Trefelin'. Beth bynnag, fe ddywedwyd wrtha i fod teulu newydd yn cyrraedd pentre Trefelin, a phetawn i'n llwyddiannus, fi fyddai Bet Harries, gwraig briod gyda thri o blant wedi tyfu lan. Roedd gen i fantais yn y ffaith fy mod i'n byw yng Nghwm Gwendraeth, ond doeddwn i ddim wedi meddwl o gwbwl y cawn i gyfle am ran yn y gyfres. Roedd yna griw o tua deg ar hugain o actorion proffesiynol yng Nghymru ar y pryd – nifer bychan mewn gwirionedd, ond roedd hi'n anodd torri drwodd i fod yn un o'r actorion dethol hyn.

Roedd Haydn Edwards eisoes wedi'i ddewis i chwarae rhan y gŵr, Dil Harries, ac rown i wedi actio gyda Haydn yn *Y Dyn Lan Stâr* yn Eisteddfod Rhydaman yn 1970. Drama gomisiwn gan John R Evans oedd hi, a chwmni'r Eisteddfod oedd yn ei pherfformio. Roedd Haydn wedi actio llawer gyda Chwmni Drama Pontyberem hefyd, ac rown i'n meddwl amdano fel dyn oedd wastad yn smoco Woodbines. A dweud y gwir, rown inne'n smygu hefyd yn y dyddiau hynny, tuag ugain o Silk Cut bob dydd a mwy fyth ar benwythnosau, ond roeddwn i'n dioddef o wddwg tost yn gyson – wnaiff hynny mo'r tro i actores – ac ar ôl un pwl gwael iawn pan fu bron iawn i fi gael y cwinsi fe benderfynais ei bod hi'n bryd i mi roi'r gorau i smygu am byth.

Beth bynnag, ynghyd â Haydn, gwahoddwyd Dewi Pws o Dre-boeth, Huw Ceredig o ardal Pontypridd bryd hynny, a Gillian Eiisa o Lambed, i chwarae rhannau'r plant, Wayne, Reg a Sab. Gwynne, mae'n debyg, oedd yn awyddus i gynnwys merch ifanc o'r enw Sabrina, ac i gwblhau'r castio roedd angen penodi rhywun i chwarae rhan y fam. Un peth oedd cael gwrandawiad, ond peth arall oedd cael y rhan. Er mawr syndod i mi, roedd John Hefin o'm plaid ac fe ddaeth y cynnig swyddogol rywbryd tua adeg hanner tymor mis

120

Hydref.

Erbyn deall, roedd gan John Hefin a finne rywbeth yn gyffredin. Roeddwn i wedi bod wrth draed Norah Isaac yng Ngholeg y Barri a John, yntau, wedi bod yn ddisgybl iddi yng Ngholeg y Drindod. Y diwrnod hwnnw pan ges i glyweliad yng nghartre Gwynne D Evans, doedd y gyfres ddim wedi cael ei henwi eto, ac yn ystod y cyfarfod rhyngom yr awgrymodd Gwynne yr enw Cwmderi wrth John Hefin. Oeddwn, roeddwn i yno pan fedyddiwyd y pentre, pentre fyddai'n datblygu i fod yn bentref enwocaf Cymru gyfan ac yn rhan bwysig o'm bywyd i.

* * *

Er i mi gael cynnig y rhan, roedd sawl rhwystr ar fy ffordd cyn y gallwn dderbyn y gwaith. Doedd yr hewl i Gwmderi ddim am fod yn un glir ac esmwyth i mi! Y peth cyntaf yr oedd yn rhaid i mi ei wneud oedd sicrhau caniatâd Pwyllgor Addysg Sir Gaerfyrddin i gael fy rhyddhau o waith dysgu dros dro. Yn rhyfedd iawn, rygbi fu'n gyfrifol, yn anuniongyrchol, fy mod wedi llwyddo yn hynny o beth.

Doedd fy ngobeithion i ddim yn uchel iawn wrth i mi gael fy arwain i mewn at y Cyfarwyddwr Addysg, y Dr Hedydd Davies. Roedd rhyw swyddog arall nad own i'n ei nabod yno hefyd. Fy ngobaith i oedd cael bod o'r gwaith am dri mis – yn ddi-dâl wrth gwrs – ond gydag addewid y cawn i fy swydd dysgu yn ôl ar ddiwedd fy nghytundeb gyda'r BBC. Fe eglurais yn betrusgar beth own ni'n moyn, a dyma'r Doctor Hedydd yn troi at y bachan oedd gydag e.

'Beth amdani?' medde fe.

'Wel,' medde hwnnw, 'wela i ddim pam na ddylai hi gael amser bant. Ry'ch chi'n caniatáu i chwaraewyr rygbi gael amser bant i gynrychioli Cymru pan maen nhw'n gorfod mynd oddi cartre. Beth sy'n wahanol yn hon? Mae ambell i chwaraewr wedi cael bod bant o'r gwaith am dri mis, felly pam na allwn ni roi tri mis bant i Mrs Williams i actio ar y teledu?'

Roedd y dyn yn llygad ei le, wrth gwrs. Roedd Roy Bergiers newydd gael caniatâd tebyg. Beth bynnag, ar ôl ystyried y ddadl, fe adewais i'r swyddfa wedi llwyddo i gael caniatâd y Cyfarwyddwr, a dyna beth oedd rhyddhad.

Doedd y cyfweliad â'r Cyfarwyddwr yn ddim o'i gymharu ag ymateb Dadi. Roedd e'n ddigon hapus i mi fod wrthi'n actio gyda chwmnïau amatur lleol, ond doedd e ddim yn fodlon o gwbwl 'mod i'n ystyried gadael swydd dda i fynd i actio. Yn wahanol i'r Cyfarwyddwr, fe wyddai Dadi fod posibilrwydd y cawn i estyniad i'r cytundeb ar ddiwedd y tri mis ac roedd yr hen werthoedd traddodiadol yn dal yn gryf yng nghymeriad fy nhad. Roedd e'n teimlo mai adre y dylwn i aros, gydag Elwyn a Rhodri, ac fe wnaeth e ei orau i'm darbwyllo i 'mod i'n gwneud camgymeriad.

Ar ôl i'r gwaith actio ddechrau, roedd e'n fwy penderfynol fyth na ddylwn i ystyried derbyn unrhyw estyniad i'r cytundeb. 'Paid ti â meddwl,' medde fe, 'eu bod nhw'n mynd i gadw'r jobyn 'ma ar agor i ti o hyd ac o hyd,' neu weithie fe fydde fe'n treial ffordd arall gyda, 'Dere nawr, ma'r plentyn yma'n hiraethu amdanat ti bob nos a tithe'n gwitho'n hwyr.'

Roedd e'n cynyddu'r pwysau arna i, ond roedd e'n iawn, wrth gwrs. Do, fe lwyddodd i wneud i mi deimlo'n euog o'r dechrau'n deg, ond wnaeth e ddim newid fy meddwl i. Roedd hwn yn gyfle gwych, yn gyfle rhy dda i'w golli, a dim ond unwaith mewn oes y byddai cyfle fel hyn yn codi, neu o leiaf, dyna rown i'n ei gredu bryd hynny.

Wrth benderfynu derbyn y gwaith, roeddwn i'n cysuro fy hun mai dim ond am dri mis y byddwn i bant, ond roedd yna frwydr arall, lai amlwg efallai, i'w hennill hefyd, sef y frwydr fewnol gyda fy hyder fy hun. Roedd meddwl am berfformio ar deledu o flaen y miloedd yn arswydus ac fe fyddai mynd a dod i Gaerdydd ynddo'i hun yn brofiad anodd i rywun fel fi, ond rown i'n cysuro fy hunan fod fy ffrind Ernest Evans yno, ac y byddwn i'n iawn yn ei gwmni ef.

Yn rhyfedd iawn, er bod y ddau ohonon ni nawr yn aelodau o gast *Pobol y Cwm*, wnaethon ni ddim gweithio cymaint â diwrnod gyda'n gilydd. Roeddwn wedi gobeithio y gallwn deithio'n ôl a blaen gydag Ernest, ond gan nad oedd ganddon ni olygfeydd gyda'n gilydd, fe fydden ni'n ffilmio ar adegau gwahanol.

Ar wahân i'r troeon cynta, gyda Menna Gwyn fyddwn i'n teithio. Roedd hi'n chwarae rhan Nyrs

Jenni yn y gyfres ac fe fyddai hi'n galw gyda fi, yn gadael y car yma o flaen y tŷ ac yn neidio i mewn i nghar i. Fe fyddwn i'n gyrru i Abertawe wedyn, a'r ddwy ohonon ni'n dal y trên o'r fan honno am Gaerdydd. Roedd Menna'n ferch hyfryd, yn gwmni da, ac yn hynod o bert. Fe'n gadawodd ni'n llawer rhy ifanc, a hynny ar ôl dioddef yn hir.

Er gwaetha fy holl ofidiau am ddechrau gweithio ar *Pobol y Cwm*, rwy'n cofio'r wefr pan gyrhaeddodd y sgript gynta. I lawr â fi wedyn i Gaerdydd yn fy nghar bach fy hunan, y tro cynta i fi fentro gwneud hynny. Rwy'n meddwl mai'r person cynta i fi ei weld yn y BBC oedd Brydan Griffiths, un o'r cynhyrchwyr. Yn Stiwdio A yn Broadway oedd y setiau bryd hynny, ac fe ges i weld setiau'r Deri Arms, y caffi, cartref Brynawelon a setiau tair stafell fyw cyn mynd i Gapel Ebeneser yn Charles Street ar gyfer yr ymarfer cynta yn y neuadd y tu ôl i'r capel.

Ar gyfer y gyfres gynta dewiswyd tair prif canolfan – y Deri Arms, Brynawelon a'r Swyddfa Bost. Yn ddiweddarach fe ychwanegwyd y garej a'r caffi, a'r syniad oedd mai i ganolfannau fel hyn y byddai cymeriadau'r gyfres yn troi i mewn.

Fe fu tipyn o gwyno am fod cymaint o sylw yn cael ei roi i far y Deri Arms. Cofiwch mai yn 1974 oedd hyn, a theimlai rhai Cymry mai peth drwg oedd dangos cymaint o ddiota. Fel y dywedodd Gwenlyn Parry ar y pryd, tra oedd pobol Cymru'n cwyno am y ddiod, doedd yr un ohonyn nhw'n cwyno fod Reg yn caru â

124

gwraig y prifathro! Sôn am safonau dwbwl!

Unwaith yr wythnos oedd *Pobol y Cwm* ar y teledu bryd hynny, wrth gwrs, ac fe fyddai'r rhaglen yn mynd mas ar nos Fercher. Fe fydden ni'n ymarfer ar ddydd Gwener, wedyn weithiau ar ddydd Sadwrn a hyd yn oed ddydd Sul. Ymarfer eto ar ddydd Llun, ac yna ar ddydd Mawrth, fe fydden ni'n cael yr hyn a gâi ei alw'n 'technical run'. Rown i'n casáu hwnna. Roedd y rhediad technegol yma'n cael ei gynnal ar gyfer y criw ffilmio, ac yn dueddol o gymryd cryn amser er mwyn cael popeth yn ei le ar gyfer y camerâu a'r sain. Rown i'n cael hanner diwrnod yn rhydd ar ddydd Mercher, ac yna ffilmio drwy'r dydd eto ar ddydd Iau yn Broadway, heb fod yn bell o Heol Casnewydd. Fyddai'r bennod ddim yn mynd allan tan y nos Fercher ganlynol, neu hyd yn oed y nos Fercher wedyn.

John Hefin oedd yn gyfrifol am gynhyrchu'r ymarfer technegol, ond fy nghynhyrchydd cynta i oedd Gwyn Hughes Jones, ac mae e'n gweithio gyda ni o hyd. Y cynhyrchwyr weithies i fwya â nhw oedd Myrfyn Owen, George Owen a Ron Owen.

Er gwaetha'r oriau gwaith trwm, prin iawn fyddwn i'n aros dros nos yng Nghaerdydd. Roeddwn i'n awyddus i fynd adre at Rhodri ac Elwyn a Dadi wrth gwrs, a doeddwn i ddim yn hoff o fywyd dinas chwaith. Mae'n gas gen i Gaerdydd o hyd, ac rwy'n dal i ddod adre bob cyfle ga' i. Nid casáu Caerdydd fel lle ydw i, ond casáu bod oddi cartref. Pan fyddai'n rhaid aros, roeddwn i'n ffodus iawn i gael aros gyda ffrind da iawn i mi, Orien. Roedden ni'n dwy wedi bod yn ffrindiau ers dyddiau ysgol. Hi a fi, os cofiwch chi, wnaeth blesio Sioni a Iori gymaint wrth berfformio 'We're a Couple of Swells' yn Neuadd y Cross flynyddoedd cyn hynny. Fe fyddai rhai o'r cast yn cwrdd â'i gilydd gyda'r nos i gymdeithasu, ond fyddwn i byth yn gwneud hynny.

* * *

O ran dysgu sgript, dw i ddim wedi cael unrhyw drafferth erioed. Ddim ond unwaith aeth hi'n nos arna i. Rown i'n actio yn nrama T James Jones, *Ararat* – drama lwyfan yma yn Neuadd y Cross – ac roedd Jim wedi mynd ati i ysgrifennu golygfa ychwanegol ar y funud ola. Ar ganol yr olygfa newydd honno fe anghofies i'n leins. Rown i'n methu clywed y cofweinydd yn glir. A dyma fi'n dweud wrth yr actorion eraill, yn union fel petai e'n rhan o'r sgript, 'Esgusodwch fi am funud. Mae'n rhaid i fi fynd i'r gegin. Fe fydda' i 'nôl nawr.' A draw â fi at y cofweinydd yng nghefn y llwyfan a sibrwd, a finne'n chwysu peints, 'Beth yw'r blincin lein nesa?' Ar ôl cael fy atgoffa, yn ôl a fi i'r llwyfan fel petai dim byd wedi digwydd.

Fel arfer, mae dysgu sgript yn dod yn naturiol, ac fe allech chi feddwl fod dysgu sgript drama lwyfan dair act yn llawer anoddach na dysgu sgript deledu. Gyda sgript deledu, er enghraifft, os aiff pethe'n nos arnoch chi fe gewch chi 'take' arall ac un arall. Mae perfformio'n fyw ar lwyfan yn cynnig llawer mwy o her. Does yna ddim ailgynnig. Os ydych chi'n cawlo'ch leins, wel dyna hi, ond o ddysgu sgript drama lwyfan fe fyddwn i ddim yn unig yn cofio fy rhan fy hunan ond yn cofio rhan pawb arall hefyd. Ac os ydych chi'n cofio rhan pawb, go brin yr ewch chi ar goll.

Ar *Pobol y Cwm* fe fydd rhai cymeriadau'n taflu ambell air ychwanegol i mewn i'r sgript. Dyna i chi Emyr Wyn, er enghraifft, sy'n chwarae rhan Dai Sgaffalde. Mae e'n hoff o ddefnyddio'r gair Pharo, 'Gwranda 'ma, Pharo,' ac yn y blaen. Mae rhywbeth fel 'na yn dueddol o ddod yn naturiol i gymeriad ac yn glynu wrtho fe.

Mae hi'n anodd cadw wyneb syth gydag ambell i gyd-actor. Roedd Dewi Pws yn ddihareb yn hynny o beth, ac wrth gwrs, gan ei fod e'n actio Wayne Harries, mab i fi yn *Pobol y Cwm*, roedd gofyn i ni'n dau weithio gyda'n gilydd yn gyson. Oddi ar y set fe fydde fe'n dweud pethe carlamus dim ond er mwyn gweld fy wyneb i. Er enghraifft, falle y bydde fe yn y Stafell Werdd yn sgwrsio â Huw Ceredig ac yn sydyn fe ddywede fe, 'O, wyt ti'n cofio bod y ddwy nymffomaniac yna'n dod draw o Sweden heno? A chofia di mai fi fydd â'r flonden.' Ar y set wedyn, fe fyddai un edrychiad gan Dewi yn ddigon i wneud i fi golli rheolaeth a thorri mas i chwerthin.

Rwy'n cofio fod un o'r straeon yn y cyfnod cynnar hwnnw'n ymwneud â Wayne, a oedd yn forwr. Roedd ei long e wedi suddo, a dim sôn am Wayne yn fyw neu'n farw. I wneud y stori'n gredadwy, fe gafwyd neb llai na Kenneth Kendall i gyhoeddi'r newyddion, fel petai e'n darllen bwletin newyddion y BBC, gan ddweud fod y chwilio'n parhau am nifer o aelodau'r criw, yn eu plith y Cymro, Wayne Harries o Gwmderi. Wyddwn i ddim ar y pryd, ond mae'n debyg y byddai mam Dewi, Ray Morris, yn ffonio'r BBC bob dydd i ofyn a oedden nhw wedi dod o hyd i Wayne! Tynnu coes oedd Ray wrth gwrs, ond mae rhai o'r gwylwyr yn gallu bod fel'na. Maen nhw'n credu yn y cymeriadau ac yn y digwyddiadau, ac mae hynny, am wn i, yn rhan o lwyddiant y rhaglen.

Ar ôl tri mis o fywyd cwbl wahanol i ddysgu, roedd e'n deimlad rhyfedd iawn pan ddaeth y cytundeb i ben. Roedd y drefn oedd ynghlwm wrth y ddwy swydd mor wahanol. Fe welais i eisiau *Pobol y Cwm* yn fawr, ac fe gymerodd hi dipyn o amser i fi setlo'n ôl i waith dysgu unwaith eto.

Doedd dim dewis gen i mewn gwirionedd. Dadi oedd yn iawn. Dim ond saith oed oedd Rhodri bryd hynny, ac felly fe fu'n rhaid i fi ddweud wrth John Hefin, y cynhyrchydd, am lynu at y tri mis ac yna fy lladd i bant. Fe geisiodd e gael ffordd allan o'r sefyllfa, gan gynnig fy nghael i ymddangos yn achlysurol yn y gyfres, ond gwrthod ei gynigion e wnes i – rown i'n parchu barn Dadi. Rown i wedi cael fy nghyfle, wedi cael y profiad o fod yn actores broffesiynol ar y teledu ac fe fynnes i gael fy ysgrifennu allan. Trawiad ar y galon. Fel'ny y lladdon nhw'r cymeriad.

Roedd plant bach yr ysgol yn falch o'm gweld i'n cyrraedd yn ôl yno, cofiwch! Wn i ddim sawl rhiant ddywedodd wrtha i fod eu plant wedi gwylio'r rhaglen ac wedi llefen y glaw wrth weld Bet Harries yn farw. Druan â nhw, roedden nhw wedi credu mai Mrs Williams, eu hathrawes, oedd wedi marw! Rhaid fy mod i wedi'u drysu nhw'n llwyr wrth atgyfodi a chyrraedd yr ysgol yn holliach y bore ar ôl darlledu'r rhifyn hwnnw o'r rhaglen. Fe ges i atgyfodiad yr un mor rhyfeddol yng Nghwmderi hefyd, er i hynny gymryd sbel yn hirach, chwarter canrif yn hirach, a dweud y gwir. Bum mlynedd ar hugain yn ddiweddarach roeddwn i'n ôl yng Nghwmderi, ond roeddwn i'n actio cymeriad cwbl wahanol y tro hwn.

Nid fi yw'r unig un i chwarae mwy nag un rhan ar *Pobol y Cwm*, cofiwch. Os darllenwch chi *Cyfrinachau'r Cwm*, wedi'i olygu gan William Gwyn, fe welwch chi bod o leiaf bump o actorion eraill wedi gwneud yr un peth. Dyna i chi Iris Jones. Fe wnaeth Iris actio rhan Sister MacGregor, dirprwy fetron Brynawelon yng nghyfnod cynnar y gyfres, ac yn ôl y stori, fe adawodd y Sister i weithio yn ardal Aberystwyth. Dychwelodd Iris yn 1997 fel Beryl, mam Cassie, ac fe briododd â David Tushingham, oedd yn ddoniol iawn o ystyried fod hwnnw'n un o drigolion Brynawelon pan oedd Iris yn gweithio yno fel Sister MacGregor!

Mae Margaret Williams yn un arall a ymddangosodd

fel mwy nag un cymeriad. Yn yr wythdegau, hi oedd Beti Griffiths, prifathrawes Ysgol Gynradd Cwmderi. Yna, yn 2000, fe ddychwelodd Margaret fel Heti, chwaer Beryl. Doedd y ddwy chwaer ddim wedi torri gair â'i gilydd ers amser hir yn dilyn cweryl teuluol ond fe ddaeth Heti i Gwmderi er mwyn cymodi.

Mae Nia Caron yn gyfarwydd ers tro bellach fel Anita, partner Meic a mam Darren a Dwayne, ond yn 1990 fe gafodd hi ran fel Jane Leonard, a ddaeth i aros yn y Deri gan fynnu mai hi oedd mam naturiol Gareth Wyn, a oedd wedi'i fabwysiadu.

Mae Toni Caroll a Hywel Emrys yn ddau arall a ymddangosodd ar y gyfres fel mwy nag un cymeriad, ond mae'n debyg mai Heledd Owen, sy'n chwarae rhan Rhiannon erbyn hyn, sy'n cael y wobr gyntaf am ymddangos yn *Pobol y Cwm* fwy nag unwaith. Erbyn hyn, mae hi'n chwarae ei thrydedd rhan yn y gyfres. Yn gyntaf, fe chwaraeodd hi ran Melanie, merch hynaf Ieuan a Hazel Griffiths; wedyn fe chwaraeodd hi ran Bethan, merch ysgol a oedd yn dipyn o ddirgelwch, gyda John Glyn Owen yn chwarae rhan ei thad ac yntau'n dad go iawn iddi. Ar ben hynny roedd ei mam, Marion Fenner, yn actio'r cymeriad Doreen.

I mi, y teimlad rhyfeddaf wrth ddychwelyd i Gwmderi yn 1999 oedd dod yn ôl i gyd-actio gyda Gillian Elisa a Huw Ceredig, gan fod y ddau yn blant i mi yn nyddiau cynnar y gyfres. Fe adawodd Huw yn 2003, ond mae Gillian yn dal yno, wrth gwrs, er iddi gymryd ambell gyfnod bant. Rydyn ni'n dwy yn dipyn o ffrindie. Yn ei hunangofiant diweddar, mae hi'n sôn am ei phrofiad pan ddeallodd hi y byddwn i, fel ei mam yn *Pobol y Cwm*, yn marw. Dim ond croten ifanc 22 oed oedd Gill bryd hynny ac ofnai y byddai'r atgofion am farwolaeth ei mam go iawn yn golygu na allai hi wneud y golygfeydd angenrheidiol heb golli rheolaeth, ond mae hi'n dweud i mi ei helpu i roi perfformiad credadwy. Roedd hynna'n beth neis iawn i'w ddweud.

Merch o Lambed yw Gill, wrth gwrs, a phan fyddwn i'n mynd yno erstalwm fe fyddai rhywun yn siŵr o ddod ata'i a dweud, 'Mam Sab y'ch chi, ontefe?' Erbyn hyn, fel modryb Denzil ydw i'n cael fy adnabod ym mhob man, ac rwy'n joio'r profiad o gael fy nghyfarch fel'ny, a'r cyfle i gael sgwrs fach â phobol.

* * *

Ar ôl i fi adael yn ôl yn 1974, fe fyddwn i'n dal i wylio'r gyfres yn ffyddlon. Rown i am wybod beth oedd yn digwydd i'r cymeriadau oedd wedi bod yn gymaint o ran o'm bywyd i, yn enwedig aelodau'r teulu Harries. Rwy wedi gwylio'r rhaglen o'r bennod gyntaf oll, pan gafodd y cymeriadau eu cyflwyno gan Alun Williams yng nghartre Brynawelon fel rhan o'i raglen radio *Dewch am Dro*.

Mae llawer yn gofyn i fi pwy yw fy hoff gymeriad ond mae'n amhosibl dewis un. Rown i'n hoff iawn o drigolion a staff Brynawelon yn y dyddiau cynnar ac rwy'n dal i weld eisie'r capel a Brynawelon. Dwi'n siŵr y gellid sefydlu rhyw gymdeithas neu'i gilydd yn gysylltiedig â chapel Cwmderi, cwrdd diwylliannol misol, er enghraifft, neu ryw gymdeithas i'r gwragedd.

Ar ôl gadael *Pobol y Cwm* y tro cyntaf hwnnw, roedd actio'n dal yn bwysig i mi, ac felly fe ailgydiais i mewn actio llwyfan. Gan fod cymeriad Bet Harries wedi marw, dyna oedd y diwedd cyn belled ag yr oedd *Pobol y Cwm* yn y cwestiwn. Rown i'n meddwl y cawn i ambell i ran fach ar y teledu nawr ac yn y man, efallai, ond wnes i eriod ddychmygu y byddwn i'n dychwelyd i *Pobol y Cwm*.

I Terry Dyddgen-Jones mae'r diolch fy mod i'n ôl. Roedd angen cymeriad i chwarae rhan Anti Marian ac fe gynigiodd e'r rhan i mi. Fe eglurais wrtho fy mod i wedi chwarae rhan Bet Harries chwarter canrif yn gynharach, ond doedd hynny ddim yn ei boeni e. 'Fydd neb yn dy gofio di fel Bet Harries,' medde fe. Doedd dim awgrym am ba hyd y byddwn i'n chwarae'r rhan ond fe ges i gytundeb chwe mis gan Terry ym mis Medi 1999 ac rwy yma o hyd – eitha camp i rywun fu farw yn 1974!

Cyn i mi ddychwelyd i'r gyfres, fe ges i ryw fath o broffeil o Anti Marian. Gwraig ffarm oedd hi i fod, yn briod â Bob ac yn byw i'r gorllewin o Gwmderi – rhywle rhwng Caerfyrddin ac Aberteifi, am wn i. Doedd dim plant ganddi, ond roedd yna ryw awgrym iddi, hwyrach, fod yn dysgu cyn priodi. Mae hi'n sicr yn fenyw awdurdodol.

Er i'r proffeil fod o gymorth mawr, dwi ddim wedi

132

llwyddo hyd heddiw i ddyfalu sut yn union mae Anti Marian yn perthyn i Denz. Mae'r ddau â'r cyfenw Rees, felly, mae'n rhaid mai Rees oedd cyfenw tad Denzil ac mai Rees oedd cyfenw Anti Marian. Plentyn i frawd fy ngŵr i yw Denzil efallai, ond mab i chwaer i fi ddyle fe fod. Ar y llaw arall, fe allai dwy chwaer fod wedi priodi i mewn i deulu Rees. Mae 'na ryw gawdel yn yr achau yn sicr, ond dyw hynny ddim yn bwysig. Mae Gwyn Elfyn a minnau wedi dod i'r casgliad na ddylen ni boeni'n ormodol am hynny, gan fod pob teulu â rhyw sgerbwd neu'i gilydd yn cuddio yn y cwpwrdd!

Beth bynnag, hanes Anti Marian yw iddi werthu'r ffarm a rhoi cildwrn bach o ychydig filoedd i Denz i'w helpu fe i redeg a gwella'r siop, ac yna symud i fyw ato fe a gofalu ar ei ôl e. Yn bwysicach na dim, prif swyddogaeth Anti Marian yw troi pob menyw bant. Does dim un fenyw'n ddigon da i Denz, yn ei barn hi. Fe aeth hi mor bell â chael gwared ar Cilla, cariad Denzil, ar ddydd Nadolig! Ei gorfodi i godi'i phac a mynd, ac yna methu credu fod Denzil yntau'n ddigon twp i fegian arni i beidio â gadael. Ond roedd Anti Marian yn ddidrugaredd -- rwy'n cofio'i leins hi nawr: 'Gad hi i fynd. Dim ond dy arian di mae hi'n moyn, achan. Dere 'nôl mewn!' Chaiff neb wneud drwg i Denzil tra bod Anti Marian amboutu'r lle.

A dweud y gwir, er gwaetha'r ffaith ei bod hi mor fusneslyd, rwy'n eitha hoff o Anti Marian. Mae hi'n fenyw strêt. Mae hi'n siarad yn blaen, dyw hi ddim yn cuddio dim, ac mae ganddi hi werthoedd pendant. Fe synnech chi gymaint sy'n dod ata i a'm cyhuddo i o fod yn gas gyda Denzil, ond hoffwn i feddwl mai eisiau'r gorau iddo fe mae Anti Marian. Gofalu ar ei ôl e. Tra bod Anti Marian gydag e, mae e'n gwbwl saff.

Un peth sy'n wahanol iawn rhwng Anti Marian a fi yw'r ffordd ry'n ni'n gwisgo. Does ganddi ddim syniad am ffasiwn. A awn i mas yn ei dillad hi? Nefyr in Ewrop! Nid fi sy'n cael dewis ei dillad hi wrth gwrs – y bobol sy'n cynhyrchu, a chriw yr adran wisgoedd sy'n dewis. Fe fentrais i gwyno wrthyn nhw unwaith. 'Edrychwch,' meddwn i. 'Rown i'n meddwl fy mod i'n wraig weddw, gyfoethog. Rwy newydd werthu ffarm ac wedi galler rhoi £100,000 i Denzil i helpu gyda'r siop. Oni ddylech chi roi dillad a bach gwell graen arnyn nhw i fi?'

Roedd yr ateb ges i'n un digon syml. 'Dyna pam mae Anti Marian yn fenyw gyfoethog, Buddug. Dyw hi ddim yn credu mewn gwastraffu arian ar ddillad crand.' Ac mae'n rhaid i mi gyfaddef, dwi'n credu fod yna wirionedd yn hynny!

* * *

Yn fy ail fywyd yng Nghwmderi, oddi ar y set, fe alla i fentro dweud mai Gwyn Elfyn yw fy ffrind gorau i yno. Wnelen i ddim byd hebddo fe. Mae e'n tynnu 'nghoes i'n ddidrugaredd, cofiwch, ond rwy'n dwlu arno fe. Pan fyddwn ni'n gweithio'r un oriau, gyda

134

Gwyn y bydda i'n teithio. Fe fyddwn ni'n ymarfer ein llinellau yn y car ac yn trafod y byd a'i bethe. Mae ei gymeriad e, Denzil, yn un digon twp ar adegau ond mae Gwyn yn fachan disglair iawn. Petawn i angen cyngor am unrhyw beth, at Gwyn yr awn i am y cyngor hwnnw.

Mae'n rhyfedd fel mae Gwyn a finne yn rhannu rhyw fath o record cyn belled ag y mae *Pobol y Cwm* yn y cwestiwn. Fi yw'r hynaf o'r actorion erbyn hyn, a Gwyn sydd wedi bod hwyaf yn y gyfres. Fe ddechreuodd e yn 1984 fel gwas i Stan Bevan.

Fe wnes i seilio cymeriad Anti Marian ar gymeriad go iawn. Wna' i mo'i henwi hi, ond rown i'n ffrindiau mawr â hi. Roedd hi'n gweithio mewn siop fach yn yr ardal pan own i'n ifanc. Wedi i fi ddarllen drwy'r proffeil o Anti Marian fe ddaeth hi'n amlwg ei bod hi'n fenyw fach fusneslyd. All hi ddim cadw'i thrwyn allan o fusnes pobol eraill. Petawn i wedi cael y siop a'r swyddfa bost yng Nghwmderi fe fyddai Anti Marian wedi llenwi sgidiau Maggie Post yn ddigon cysurus. Fe fyddai hithau, fel Mrs Jacyraca yn *Dan y Wenallt,* yn agor llythyron pawb wedyn, mae'n siŵr! A dweud y gwir, mae amryw wedi dweud wrtha i mai fi yw olynydd naturiol Maggie Post ac rwy'n cymryd hynna fel compliment!

Fe fyddai rhai yn dweud fod llawer ohona i fy hunan yng nghymeriad Anti Marian hefyd, ac mae Rhodri'r mab yn cael sbort ofnadwy am hynny. Fe ddywedodd rhywun wrtho fe 'nôl yn 1999 pan ddechreuais i actio am yr eildro yn *Pobol y Cwm*:

'Jiw, mae'n neis gweld dy fam 'nôl ar y bocs. A bachan, mae hi'n actores dda.'

A wyddoch chi beth ddwedodd e?

'Wy'n mynd i ddatgelu cyfrinach fach i chi nawr.'

'Ie, dewch mlaen,' medde'r fenyw, yn llawn diddordeb.

'Nage actio mae Mam. Fel'na ma' hi gartre. Draig o fenyw yw hi.'

Dyna i chi gythraul bach, ontefe?

Anti Marian ydw i i lawer o bobol y tu allan i'r ardal erbyn hyn. Bob dydd Mercher, os bydda i'n rhydd, fe fydda i'n dal y bws i Gaerfyrddin, a'r dydd o'r blaen dyma rywun ar y bws – bachan di-Gymraeg – yn fy nghyfarch i yn Saesneg.

'Hylô, Anti Marian. Shwd y'ch chi heddi?'

Finne'n ateb yn naturiol, 'Da iawn diolch. Shwd y'ch chi?'

A hwnnw wedyn yn trafod *Pobol y Cwm* gyda fi ac yn dweud ei bod hi'n hen bryd i Anti Marian gael cariad newydd. Cyrraedd Caerfyrddin, a rhywun yn rhoi tap ar fy ysgwydd i, rhywun di- Gymraeg eto.

'Chi yw hi, ontefe?'

'Beth y'ch chi'n feddwl?'

'Chi yw Anti Marian, ontefe?'

A dyma fe'n mynd ymlaen i ddweud ei fod e a'i wraig yn byw yn Sbaen ac yn gwylio *Pobol y Cwm* yn rheolaidd. Maen nhw'n gwylio bob nos ar deledu digidol.

Rwy'n credu fod actorion yn dueddol o dyfu i mewn i'w cymeriadau. Mae actor sydd wedi treulio blynyddoedd yn portreadu'r un cymeriad yn adnabod y cymeriad hwnnw'n well na neb, yn well na'r storïwyr a'r sgriptwyr, hyd yn oed. Os yw Anti Marian yn gwneud rhywbeth yn y sgript sydd ddim yn gydnaws â'i chymeriad, fe fydda i'n gwybod hynny'n reddfol, ac mae cyfle i ddweud hynny wrth y storïwyr a'r sgriptwyr.

Mae'r storïau'n cael eu cynllunio ymhell o flaen llaw, ac fe fydd y storïau a'r sgriptiau'n cael eu harchwilio'n fanwl gan y golygyddion sgriptiau ond mae cyfle bob amser i'r cymeriadau drafod rhywbeth nad yw ef neu hi'n fodlon yn ei gylch.

Mae pethe bach yr un mor bwysig â'r pethe mawr. Mae pobol yn sylwi ar gamgymeriadau ac yn dweud wrthon ni. Mae rhywbeth bach sy'n ymddangos yn ddibwys, fel rhif ffôn ar ochr fen, er enghraifft, yn gorfod bod yn iawn. Meddyliwch petai 01267 ar fen neu ar fusnes un o drigolion Cwmderi – fe fyddai hynny'n anghywir. Cod ffôn Cwm Gwendraeth yw 01269 a credwch chi fi, fe fyddai rhywun yn siŵr o sylwi.

Dyna i chi'r cymeriad gwreiddiol wnes i ei chwarae, Bet Harries, 'nôl yn 1974. Er mwyn i fi fod yn fam i Reg, sef Huw Ceredig, roedd gofyn fy mod i wedi priodi yn ddeunaw oed. Fe sylwodd yr actores Rachel Thomas ar hyn ar unwaith.

'Pa ran y'ch chi'n whare?' medde hi, pan gerddes i

mewn ar y bore cynta.

A finne'n ateb, 'O, fi sy'n whare rhan mam Reg.'

'Chi'n rhy ifanc o lawer,' medde hi ar unwaith, yn ddiflewyn-ar-dafod.

Yr enghraifft orau o gymeriad yn newid, a hynny am ei bod hi'n mynnu gwneud hynny, oedd yr hyn wnaeth Rachel i gymeriad Bella Davies. Doedd Rachel ddim yn fodlon o gwbwl ei bod hi'n chwarae rhan hen fenyw grac, chartre'n llawn anhrefn. Fe aeth Rachel ati'n raddol, gyda chydweithrediad yr awduron, i newid y cymeriad, ac fe wnaed hynny'n gwbwl gredadwy. Fe drodd i fod yn fenyw capel, egwyddorol, yn union fel roedd Rachel ei hun.

Roedd Rachel yn fenyw hyfryd, brenhines a boneddiges, ac actores benigamp. Fe fyddwn i'n edrych lan ati, ac at Harriet hefyd. Rwy'n cofio Harriet a finne'n ffaelu mynd ymlaen â golygfa un diwrnod ar y set wedi i'r cynhyrchydd weiddi arna i. Rown i wedi dod mewn trwy'r fynedfa anghywir a dyma hwn yn gweiddi, yn Saesneg, 'No, no, go back. Come in through Maggie Post's back passage!' Fe fuon ni'n dwy yn chwerthin am ddyddiau!

Mae digonedd o chwerthin ar y set, er bod hynny'n gallu chwalu'r amserlen yn llwyr ar adegau. Unwaith mae rhywun yn dechrau, does dim stop. Un o'r rhai gwaetha am hynny yw Nia Caron. Os bydd y ddwy ohonon ni'n dechrau giglan, ma' hi ar ben arnon ni, ac mae Gwyn Elfyn cynddrwg â neb. Os welith e fi braidd ar goll, mae e'n gwneud rhyw wep, a finne wedyn yn ffaelu stopo chwerthin. Mae llawer o'r troeon trwstan hyn yn cael eu cadw ar gyfer yr *out-takes* yn y parti Nadolig. Fel y gallwch chi ddychmygu, mae ambell i reg yn digwydd weithiau hefyd, ond jawch, ry'n ni'n cael hwyl.

Un o'r troeon mwyaf doniol oedd hwnnw pan aethon ni i ffilmio i'r Sioe yn Llanelwedd yn 2007. Yn ôl y stori, roedd Anti Marian wedi cystadlu ar wneud picls, a jiw, roedd hi'n browd o'i phicls! Roedden ni yno ar y dydd Llun a'r dydd Mawrth – fi a Gwyn Elfyn, Catrin Powell ac Arwel Davies, ac rown i fod i gwrdd â Dai Jones, Llanilar, yno fel rhan o'r ffilmio. Rwy wedi ffilmio ar leoliad droeon, wrth gwrs, ond hwn oedd y tro cyntaf i fi erioed ffilmio mewn digwyddiad go iawn gyda thorf yn bresennol.

Fe gawson ni drafferth o'r dechrau, y traffig yn drwm a ninnau'n methu cyrraedd cae'r sioe, ac ar ben hynny, roedd hi'n arllwys y glaw. Fe adawon ni'r gwesty yng Nghrucywel am hanner awr wedi saith er mwyn bod yno erbyn hanner awr wedi wyth. Roedd Dai Llanilar i fod i gwrdd â ni am naw, ac wedyn roedden ni i fod i saethu golygfa fach syml yn y babell fwyd tra oedd y beirniadu yn digwydd, gyda'r bwriad o fod allan o'r babell erbyn un ar ddeg, pan oedd y cyhoedd yn cael mynediad.

Roedden ni y tu allan i Lanfair-ym-Muallt mewn da bryd, ond o'r fan honno i'r sioe fe gymerodd hi dair awr. Fedren ni ddim coelio'r peth. Stop fan hyn. Ymlaen ychydig lathenni. Stop fan draw. Yn y cyfamser roedd y cyfarwyddwr a'r cynhyrchydd yn siarad â'i gilydd ac â ninnau ar y ffôn symudol ac mewn panic gwyllt!

'Ble y'ch chi nawr?'

'Ry'n ni yng nghanol y dre. Fyddwn ni gyda chi toc.'

Ond dim o'r fath beth. Oedden, roedden ni yng nghanol y dre, ond doedd neb na dim yn symud. Doedd yr heddlu'n ddim help o gwbwl. Fe geisiodd y gyrrwr esbonio fod ganddo fe griw o actorion ar gyfer ffilmio a'i bod hi'n fater o argyfwng, ond chawson ni ddim ymateb. Wrth ymyl y bont, lle roedd dwy lôn yn cwrdd, roedd car ar fin troi i mewn o'n blaen ni pan awgrymodd un o'r merched yn y cefen y dylwn i wenu ar y gyrrwr. Falle wedyn y gwnâi e ildio'i le i ni. Rown i yn y ffrynt.

'Falle,' medde hi, 'ei fod e'n ffan o *Pobol y Cwm*.'

Fe wenais i fy ngwên orau, ac fe stopiodd y bachan.

'Diawl,' medde Denzil, 'mae e wedi cwmpo mewn cariad â chi. Ddim yn unig mae e wedi stopo, mae e'n rifyrso i wneud lle i ni! Diolch byth eich bod chi gyda ni!'

Bant â ni, ond aethon ni ddim ymhell cyn stopio eto, ac yna dyma'r cyfarwyddwr yn ein cynghori ni i droi i mewn i garej oedd ger y fynedfa i'r sioe, garej yn gwerthu ceir Siapaneaidd. Fe fuodd y staff yno'n wych gyda ni. Fe gawson ni ddefnyddio'r stafell ymolchi a stafell y rheolwr i newid ac fe ddaeth y cyfarwyddwr â char i gwrdd â ni at y glwyd. Erbyn hyn, roedd yr amserlen ffilmio a'r stori i gyd yn dechrau dadfeilio, ond roedd hi'n bwysig ceisio gwneud rhywbeth ohoni. Dyma roi Denzil a fi mewn yn y car a gofyn i ni gymryd arnom ein bod ni mewn tagfa draffig. Doedd dim angen llawer o ddychymyg ar Gwyn na finne i wmeud hynny gan ein bod newydd dreulio tair awr mewn un!

Roedd y sgript wedi mynd, wrth gwrs. Roedd yn rhaid actio'n fyrfyfyr nawr.

'Dechreuwch chi,' medde Gwyn, a bant â ni, gan lunio'r ddeialog wrth i ni fynd yn ein blaen.

'Dy fai di yw hyn i gyd,' medde fi. 'Petaet ti ddim wedi yfed y wisgi ola 'na neithiwr yn Llanymddyfri, fe allen ni fod wedi cyrraedd 'nôl fan hyn a mynd i'r garafán ar amser teidi a cherdded draw at y stondin picls. O'dd dim angen ein bod ni wedi aros. Own i ddim yn nabod dy blwmin ffrindie di yn Llanymddyfri. Dy fai di yw hyn i gyd.'

A fel'na buon ni'n dadlau. Gwyn Elfyn wedyn, nawr ac yn y man, yn fy nghynghori i os byddwn i'n mynd ymlaen yn rhy hir. A dweud y gwir, Gwyn oedd yn gyfrifol am y sgript a llawer o'r cyfarwyddo ar y diwrnod hwnnw!

Nid cyrraedd y cae oedd diwedd gofidiau'r diwrnod wedyn. Dyna ble roedd Gwyn a fi ar faes y sioe, yn barod i ffilmio golygfa ohonon ni'n dau yn crwydro'r cae pan stopiodd y bachan yma reit o'n blaen ni, rhyngon ni a'r camera. Ffarmwr oedd e, yn pwyso ar ei ffon. Rown i'n gwybod beth oedd yn mynd drwy'i feddwl e.

'Ble uffarn ydw i wedi gweld y ddau hyn o'r blaen?'

'Nôl â ni, ac ail-ddechrau ffilmio. 'Action!' Dechrau cerdded a sgwrsio eto, ond o fewn eiliadau roedd cwpwl bach neis yn ein stopo ni.

'A shwd y'ch chi'ch dou fach heddi 'te? Joio'r show, odych chi?'

'Gweitho ydyn ni,' medde Gwyn.

'Diawl, so chi'n dod i'r show i weitho, glei!'

'Ydyn. Chi'n gweld y camera 'co fanco? Chi'n sefyll reit o'i flaen e!'

A dyma nhw bant, yn cochi at eu clustie.

Anghofia i fyth mo'r diwrnod yna. Fe chwerthon ni trwy'r glaw a'r traffig – doedd dim byd arall y gallen ni ei wneud. Cyfuniad o nerfau a straen oedd yn gyfrifol am hynny i raddau helaeth, mae'n siŵr – roedd yr amgylchiadau mor anarferol a thu hwnt i bob rheolaeth.

Wedi i ni orffen y ffilmio o'r diwedd, roedd angen moto-beic i ddanfon y tâp i lawr i'r BBC yn Llandaf gan fod y rhaglen yn mynd mas y noson honno, ac roedd pennod arall o'r sioe yn mynd mas y noson ganlynol, ond fe weithiodd popeth yn y diwedd er gwaetha'r helyntion – yn wir, erbyn nos Iau roedd y ffigyrau gwylio wedi codi'n rhyfeddol!

* * *

Pan ddes i 'nôl i'r BBC yn 1999 roedd pethe wedi newid yn sylweddol, wrth gwrs. Y newid mwyaf ddaeth i ran y gyfres oedd iddi ddechrau cael ei darlledu bob nos yn ystod yr wythnos. Roedd hynny'n gosod pwysau mawr ar actor, yn enwedig os oedd rhywun yn cymryd rhan mewn tair neu bedair pennod mewn wythnos. Roedd y penodau rhywfaint yn fyrrach – o dan ugain munud mewn cymhariaeth â'r penodau hanner awr yn yr hen ddyddiau.

Mae'r sgriptiau'n cyrraedd ddigon ymlaen llaw i alluogi rhywun i baratoi. Pan ddaw'r amlen sgriptiau, rwy'n ei phwyso ar gledr fy llaw cyn ei hagor hi ac rwy'n gwybod wrth y pwysau sawl sgript fydd yno a faint o waith sydd o 'mlaen i. Os bydd yr amlen yn drwm iawn, rwy'n gwybod fod yno bedair pennod, a bod yna waith caled yn fy wynebu i.

Mae gofyn codi'n fore os ydych chi angen cyrraedd Caerdydd ar gyfer galwad cynnar ond does dim patrwm penodol. Weithiau fe ga' i fy ngalw am golur am naw ac os mai dim ond un olygfa sydd gen i, fe alla'i fod yn gorffen erbyn cinio, ond os yw'r alwad colur erbyn wyth rwy'n gwybod fod diwrnod caled iawn i ddod. Bryd hynny fe fydda i'n aros i lawr yng Nghaerdydd dros nos y noson flaenorol, gyda Siw Hughes ran amlaf – ry'n ni'n dwy yn ffrindiau mawr – neu weithiau hefyd fe fydda i'n aros gyda Helen o'r swyddfa. Mae Helen, sy'n dod o Lanybydder, yn ferch hyfryd ac yn gofalu ar fy ôl i fel petai hi'n ferch i fi.

Mae'r ymarfer a'r ffilmio'n golygu llawer iawn o sefyllian. Fydda i ddim yn treulio llawer o amser yn y Stafell Werdd. Rwy'n ffodus fod gen i fy stafell fy hunan – a gadewch i ni wynebu ffeithiau, rwy'n mynd yn hen ac mae angen fy stafell fy hunan arna i!

Er bod y rhaglen yn mynd allan bum noson yr wythnos, gydag omnibws bnawn dydd Sul, ry'n ni'n dal i ffilmio ymhell ymlaen llaw, ar wahân i adegau fel y ffilmio hwnnw wnaethon ni yn y Sioe Frenhinol, pan mae'n rhaid darlledu ar yr un noson. Fe fu yna adeg pan oedd y penodau'n mynd allan yn syth yr un noson, ond doeddwn i ddim wedi ailddechrau yn y gyfres bryd hynny, diolch byth. Mae 'na sôn ar goridorau'r BBC o hyd am un noson pan oedd miwsig agoriadol y rhaglen yn chwarae a'r bennod heb fod wedi'i golygu'n llawn. Dyna i chi banic! Buan y sylweddolwyd fod yn rhaid newid y drefn. Roedd y peth yn chwarae ar nerfau pawb, yn griw cynhyrchu ac actorion, ac roedd hynny'n cael effaith negyddol ar y rhaglen.

Ar ôl cael colur, pan ddaw'r alwad, mae'r actorion yn cael ymarfer geiriau, neu'r *word run*. Fe fydd nifer o'r rheiny ac yna un ymarfer arall o flaen y camerâu, i'r dynion neu'r menywod camera gael ein gweld ni'n symud cyn mynd am take. A dyna sy'n digwydd, un olygfa ar y tro. O fewn pob golygfa, mae angen amrywio onglau'r camera. Pan fydda i gyda Denzil, er enghraifft, fe fydd y cyfarwyddwr yn galw '*Single on Denzil*' neu '*Single on Anti Marian*', ac yn aml fe all hi gymryd hanner awr a mwy i ffilmio golygfa ddwy funud. Ar gyfer un bennod ugain munud, mae hi'n cymryd dyddiau o ymarfer a ffilmio. Mae hi'n broses lafurus ac araf, ond mae'n rhaid i bopeth fod yn iawn. Pan gawn ni *extras*, a'r

144

rheiny heb weithio gyda ni o'r blaen, maen nhw'n synnu pa mor hir mae'r ffilmio'n ei gymryd. Fe all pob math o bethe fynd o'i ie: actor yn anghofio gair neu lein, y *boom*, sy'n dal y meic, yn cael ei ddangos gan y camera, cysgod dros wyneb rhywun, neu rywbeth annisgwyl yn amharu ar y sain. Mae e'n waith manwl a thrwyadl iawn.

Wn i ddim faint fydda i yn *Pobol y Cwm* eto. Rwy'n joio'r gwaith mas draw ac maen nhw'n dryched ar fy ôl i'n dda. Rwy'n cael tacsi nawr 'nôl a mlaen i Gaerdydd pan fo angen. Yn wahanol i'r teithiau hynny ar y trên gyda Menna Gwyn flynyddoedd yn ôl, roeddwn i'n gyrru'n ôl a mlaen i Gaerdydd am sbel wedi i mi ailddechrau ar y gyfres, ac roedd hynny'n straen. Fe wnes i jyst â chwympo i gysgu wrth yrru sawl gwaith – lwcus i fi fod yn y lonydd iawn ar y pryd. Bryn Terfel achubodd fy mywyd i'r tro cynta, er nad yw e 'i hunan yn gwybod hynny. Rown i yn y lôn ganol ar y draffordd yn gwrando arno'n canu ac mae'n rhaid fy mod i wedi cau fy llygaid am eiliad pan daranodd llais Bryn allan o'r radio a'm deffro trwydda i. Yr ail dro rown i ar y lôn fewnol, lle mae lein wen, ac os y'ch chi'n gyrru ar honno, mae 'na sŵn uchel yn dod o'r teiers. Dyna beth ddihunodd fi. A'r trydydd tro, rown i ar drofan Pont Abraham. Rwy'n cofio gweld yr arwydd yn dweud 'Traffig Lôn Sengl', a sylwi ar y bolards coch a gwyn, ond y peth nesa glywais i oedd 'Dwmp! Dwmp! Dwmp!' ac rown i wedi bwrw tri ohonyn nhw drosodd.

Fe ddaeth hyn i sylw rhai o benaethiaid *Pobol y Cwm* a'r canlyniad fu iddyn nhw drefnu tacsi i mi – mae'n braf iawn gwybod fod eu system brysur nhw yno yn dal i ganiatáu iddyn nhw fod yn ofalus o'u hactorion.

Er nad yw'r gyrru yn straen i mi mwyach, mae'r gwaith dysgu leins yn parhau, ac yn wahanol i'r gyrru cyson, mae hynny'n fy nghadw i ar ddihun yn hytrach na gwneud i fi gysgu! Mae'n rhaid i mi fod yn gwybod fy ngeiriau cyn y galla' i fodloni ar fynd i'm gwely. Mae llawer yn dweud mai mynd drwy'ch leins y noson cynt cyn mynd i gysgu yw'r ffordd orau i ddysgu sgript. Wn i ddim a yw hynny'n wir ond mae'n gweithio i fi, beth bynnag.

Ar hyd y blynyddoedd rwy wedi casglu a chadw rhaglenni a sgriptiau'r dramâu llwyfan y bues i'n ymddangos ynddyn nhw, ond dydw i ddim wedi cadw sgriptiau *Pobol y Cwm*. Yn un peth, fyddai gen i ddim lle yn y tŷ i'w cadw nhw. Ar gyfer pob pennod mae 'na bedair o sgriptiau neu amserlenni o ryw fath neu'i gilydd yn cyrraedd yma. Yn gyntaf mae'r fersiwn gyntaf o'r sgript, yna'r rhestr trefn ymarfer ac wedyn y rhestr sy'n nodi'r drefn recordio, ac yn olaf y sgript derfynol, sef yr un y bydda i'n dysgu fy llinellau ohoni. Gall honno fod hyd at bedwar ugain o dudalennau. Mae yna reswm da arall dros beidio â chadw'r sgriptiau – mae gan y cynhyrchwyr bolisi o ailgylchu holl sgriptiau'r gyfres. Mae 'na focs yn y swyddfa, ac fe fyddwn ni'n taflu'r sgriptiau sydd wedi'u hactio i mewn i'r bocs. Ydi, mae *Pobol y Cwm* wedi troi'n wyrdd!

* * *

146

Nid cofio'r llinellau yw'r broblem fwya i fi ar *Pobol y Cwm* ond cofio enwau'r cymeriadau. Meddyliwch chi, nawr. Yn *Pobol y Cwm* mae bron bob enw'n dechre gyda 'D'. Dyna i chi Denzil, Darren, Dwayne, Dai, Diane, Dani … a finne'n y canol yn rhegi. 'Y, blwmin D's yma 'to!' Mae'r parti Nadolig, pan fyddwn ni'n gwylio'r darnau lletchwith sy'n cael eu cadw – yr *out-takes* – yn llawn ohona i yn galw pobl wrth eu henwau anghywir.

Mae Gwyn Elfyn yn tynnu 'nghoes i byth a hefyd am anghofio enwau pobol, ond mae'r duedd yma i ddrysu enwau pobol wedi dod yn rhan naturiol o gymeriad Anti Marian erbyn hyn. Mae hi'n fenyw sy'n siarad ar ei chyfer, fel finne. Mae hi'n clebran fel ffatri. Fe ges i drafferth fawr yn cofio'r gair 'ASBO' ar gyfer un olygfa, er enghraifft. Fe fyddwn i'n dweud Astra, Astro, ASDA, unrhyw beth a phopeth ond Asbo. Y tro cynta roedd e'n gamgymeriad go iawn, ond fe feddyliais i y gallwn i weithio ar hynny a chreu ychydig o hwyl. Fe ddywedes i, 'Chi'n gwbod beth wy'n feddwl, y bois 'ma â'r hwdis. Yr Asdas 'ma.' Ac fe gafodd Denzil gyfle i fy nghywiro, 'ASBOs chi'n feddwl, Anti Marian.' Mae'r holl gymysgu yma'n siwto'r cymeriad i'r dim ac yn ychwanegu at berthynas Anti Marian a Denzil â'i gilydd.

Wrth edrych yn ôl, mae'n anodd penderfynu pa fath o actio sy'n rhoi'r pleser mwyaf i fi. Ar lwyfan, rown i'n mwynhau ymateb y gynulleidfa. Mae rhywun yn teimlo'r cysylltiad rhwng yr actor a'r gynulleidfa ar

lwyfan a dyw hynny ddim yn wir am actio teledu. Actio
i gamera mae rhywun. D'ych chi ddim yn ymwybodol
o'r miloedd sy'n gwylio gartre. Dyw'r cysylltiad
uniongyrchol ddim yna ac mae gen i hiraeth am hynny.
Roedd ymateb y gynulleidfa, yn enwedig i'r rhannau
doniol, da, rown i'n gael, yn rhoi gwefr i rywun.
Comedi dwi'n ei fwynhau orau, a diolch byth, mae yna
elfen gref o gomedi yn perthyn i gymeriad Anti
Marian.

* * *

Er cymaint rwy'n mwynhau'r gwaith, mae'n braf cael
mynd adre a diosg mantell y cymeriad. Gofynnwch i
unrhyw actor, ac rwy'n siŵr y bydden nhw'n dweud yr
un peth. Gartre yw'r man hwnnw lle nad oes raid i chi
fod yn neb ond chi'ch hun. Gan 'mod i wedi byw yn yr
un tŷ erioed, mae'r cwlwm rhyngof fi a'm cartref yn un
tyn iawn; rwy'n teimlo fod hanes fy nheulu i o fy
amgylch pan rwy'n cerdded i mewn i'r tŷ ar ddiwedd
diwrnod gwaith.

Mae'r fro yn golygu popeth i fi. Rwy'n caru'r lle, ac
yn caru'r bobol. Mae 'ngwreiddiau i yn ddwfn, ddwfn
ym mhridd Cwm Gwendraeth, ac mae pobol yr ardal
leol yn fy nabod i fel fi fy hun, nid fel cymeriad rwy'n
digwydd ei chwarae ar y teledu.

Mae'n sbort portreadu Anti Marian, wrth gwrs.
Rwy'n freintiedig fy mod yn cael parhau i weithio yn
fy oedran i a chael gweithio yn gwneud rhywbeth

rwy'n ei fwynhau. Rwy'n siarad â rhywun newydd bob dydd, gan fod pobl ddieithr yn fodlon dod draw i gael sgwrs â mi ym mhob sefyllfa, ac mae hynny'n rhywbeth i'w drysori, rwy'n credu. Mae'n dangos pa mor agos y'n ni'r Cymry at ein gilydd mewn gwirionedd.

Rwy hefyd wedi cael cyfleoedd i wneud pethe yn sgil bod ar y teledu – nid rhyw bethe *glamorous* rwy'n ei feddwl, cofiwch, rwy'n tueddu i osgoi pethe felly. Rwy'n sôn am bethe mwy sylweddol na hynny. Pethe sy'n golygu rhywbeth i mi, a phethe sydd, gobeithio, yn gymorth i eraill. Rwy wastad wedi bod yn barod i wneud gwaith gwirfoddol ac elusennol; dwi'n credu fod hynny'n ddyletswydd ar bob un ohonom.

Ar ôl colli Mami fe fues i'n weithgar iawn 'da Tenovus yn yr ardal am flynyddoedd lawer, gan helpu i godi arian at ymchwil i'r cancr. Roedd yno griw da, gweithgar ynghlwm â'r achos, ac ry'n ni fel criw wedi codi miloedd o bunnau wrth sefyll ar gornel stryd yn Rhydaman ym mhob tywydd yn ysgwyd bocs casglu. Oherwydd gofynion gwaith, rwy wedi gorfod rhoi'r gorau i lawer o'r pethe yr arferwn eu gwneud, ond mae cyfle yn codi bob hyn a hyn i fod yn rhan o ryw ddigwyddiad neu'i gilydd i godi arian at achos da, neu weithiau i godi proffeil achos.

A minnau'n mynd yn hŷn, mae'n anorfod bod rhaid meddwl weithiau am y dyfodol – nid mewn rhyw ffordd bryderus, morbid, ond mewn ffordd ymarferol. Mae gen i fynwent anifeiliaid ym mhen draw'r ardd ac fe ddigwyddais ddweud wrth Rhodri yn ddiweddar: 'Pan fydda i farw, rwy'n moyn cael fy llosgi, a wedyn rwy'n moyn i ti gladdu'n llwch i yn yr ardd, rhwng Bella a Carrie.' Dwy ast fu gennym ni oedd Bella a Carrie. Wyddoch chi beth ddywedodd e? Dyma fe'n troi at ei dad ar ei union a dweud: 'Dad, fe fydd gyda ni dair bitsh ar bwys ei gilydd wedyn.' Y cythraul bach!

Mae Elwyn a minnau wedi bod yn rhan o ddrama bywyd ers dros hanner canrif bellach, gyda'n gilydd drwy'r lleddf a'r llon. Rwy'n cyfrif fy hunan yn ffodus yn hynny o beth gan y bu i fy chwaer, Hilda, ganfod ei hunan yn wraig weddw yn ifanc iawn. Fe fu'n rhaid iddi ddioddef ergyd go drom pan gollodd ei gŵr o ganlyniad i drawiad ar y galon ac yntau ond yn dri deg naw oed.

Mae Elwyn wedi bod yn gwbl gefnogol i mi ar hyd y blynyddoedd, ac mae e wedi bod yn gyfforddus gyda'r ffaith 'mod i'n actio – dwi'n gwybod nad yw hynny'n wir am bartneriaid pawb yn y busnes, ac rwy'n ei werthfawrogi'n fawr. Mae e wedi bod yn ŵr cadarn ac yn dad gofalus.

Y llynedd, fe aethon ni i Westy'r Falcondale yn Llambed i ddathlu ein priodas aur. Fel y briodas wreiddiol, dathliad bach tawel gawson ni – cinio i bedwar, gan i Rhodri a'i gariad Siân ddod gyda ni. Fel'na rydyn ni wedi gwneud pethe erioed, yn dawel ac yn ddiffwdan. Fel'na yn sicr y byddai fy mam-gu, Jane Rees, wedi gwneud pethe, a dyna'r esiampl gefais i gan

Mami a Dadi hefyd.

Mae'n anodd iawn gen i gredu fod hanner canrif o briodas wedi mynd heibio mor sydyn, ond yn y pen draw, drama fer, nid drama hir, yw bywyd, a wir i chi, mae'r blynyddoedd fel rhaff yn llithro trwy'ch dwylo. Ond os ydych chi'n ddigon ffodus i gael angor ar ddiwedd y rhaff honno, ewch chi ddim yn bell o'ch lle.